Jochen Reiss

111 Orte in Hamburg, die man gesehen haben muss

111

emons:

Bibliografische Information der Deutschen Nationalbibliothek
Die Deutsche Nationalbibliothek verzeichnet diese Publikation in der Deutschen Nationalbibliografie; detaillierte bibliografische Daten sind im Internet über http://dnb.d-nb.de abrufbar.

© Emons Verlag GmbH
Cäcilienstraße 48, 50667 Köln
info@emons-verlag.de
Alle Rechte vorbehalten
© der Fotografien: Jochen Reiss
außer Ort 56: © Stefan Lafrentz
© Covermotiv: shutterstock.com/Chi_Chirayu
Gestaltung: Eva Kraskes, nach einem
Konzept von Lübbeke | Naumann | Thoben
Kartografie: altancicek.design, www.altancicek.de
Kartenbasisinformationen aus Openstreetmap,
© OpenStreetMap-Mitwirkende, ODbL
Druck und Bindung: sourc-e GmbH
Printed in Germany 2025
Erstausgabe 2021
ISBN 978-3-7408-2582-9
Aktualisierte Neuauflage Mai 2025

Unser Newsletter informiert Sie
regelmäßig über Neues von emons:
Kostenlos bestellen unter
www.emons-verlag.de

Die automatisierte Analyse des Werkes, um daraus Informationen insbesondere über Muster, Trends und Korrelationen gemäß § 44b UrhG (»Text und Data Mining«) zu gewinnen, ist untersagt.

Vorwort

Hamburg. Der Hammer! Hamburg hat den Michel. Jetzt die Elbphilharmonie, Kathedrale für Konzerte. Sie hat den Blick der Welt auf die Hansestadt geschärft. Hamburg ist rasant auf dem Weg zur internationalen Metropole. Im Stadtteil Hammerbrook wächst Hammerbrooklyn. Dieser digitale Campus soll Brücken bauen zwischen der Gegenwart und der Zukunft der Stadt, die mehr Brücken hat als Amsterdam und Venedig zusammen. Hanseatische Tradition und Moderne konkurrieren. Widersprüche, aus denen Inspiration entsteht. Eine Stadt braucht Leben, sonst wird sie zur Kulisse. Hamburg lebt. Und wie!

Hamburg hat die Alster und die Alsterschwäne. Die geile Meile Reeperbahn. Das Vornehm-Viertel Blankenese. Mitten in der Stadt schlägt Hamburgs Herz, der Hafen. Was ihren ganz besonderen Charme ausmacht. Früher klagte man, Hamburg sei mit sich selbst zufrieden. Mit der Elphi hat man sich Großes getraut, sie war Ausbruch aus der Genügsamkeit. Und da geht mehr! Die Hansestadt arbeitet mit Elan am Morgen. Auch 20 Jahre nach dem ersten Rammschlag für die HafenCity drehen sich Dutzende Krane im neuen Stadtteil, Europas größtem Städtebauprojekt. Im Elbbrückenquartier schraubt sich der XXL-Wolkenkratzer Elbtower 245 Meter in die Höhe. Er ist in sich verdreht, korrespondiert so elegant mit der Elphi und wird deutschlandweite Landmarke sein. Zwei Jahre war Baustopp. Ende 2025 soll es wieder aufwärts gehen. Von der Besucherplattform ganz oben werden sich ungeahnte Perspektiven zeigen.

Bald leben zwei Millionen Menschen in Hamburg. Aus allen Kulturen! Die Stadt ist Magnet für Ideen und Talente. Schauplatz der Avantgarde und des Wandels. Dazwischen kann man 111 versteckte, überraschende, geheimnisvolle Orte entdecken. Den Friedhof nur für HSV-Fans. Das Gemälde der nackten Kanzlerin. Das verbotene Bubendey-Ufer. Das rätselhafte Immendorff-Relief unterm Denkmal für Hans Albers. Kommen Sie mit auf einen ganz besonderen Stadtrundgang.

111 Orte

Rasen
betreten
Hunde
Wege in
Grünanlagen

1 Der Balkon

Wo Norderelbe und Süderelbe sich einig werden

Pallamaglio hieß ein beliebtes Spiel, das aus Italien im 17. Jahrhundert auch nach Altona kam. Es galt, eine Kugel mit einem schweren Holzhammer und möglichst wenigen Schlägen durch einen kleinen eisernen Torbogen zu treiben. Auf dem Elbhang legte man eine Bahn dafür an, einen halben Kilometer lang. Hunderte Linden spendeten Schatten. Die Niederländer nannten Pallamaglio, ein Vorläufer des Krockets, Palmaille. Das haben die Altonaer übernommen. Heute ist die Palmaille vierspurige Autopiste, von Kanzleien in herrschaftlichen Häusern gerahmt. Unterm Blätterdach über dem autofreien Mittelstreifen spielt man zwischen Parkbuchten Boule.

Parallel zur Palmaille verläuft am Gesthang Hamburgs größter Balkon, 27 Meter über der Elbe. Das Altonaer Rathaus, das einmal Bahnhof war, hat man im Rücken. Und vor sich ein großartiges Panorama. Wer sich orientieren will, wie weitläufig der Hafen ist, und wie sich alles zusammensortiert, ist auf dem Altonaer Balkon am richtigen Ort. Hier fließt die Elbe wieder zusammen, die sich an der Bunthäuser Spitze in Norderelbe und Süderelbe geteilt hat. Direkt voraus die Köhlbrandbrücke, welche die Elbinsel Wilhelmsburg mit der Autobahn A7 verbindet.Bald soll eine neue Brücke, 74 Meter hoch, die Querung ersetzen. Links der Container-Terminal Tollerort und die Schwimmdocks der Werft Blohm + Voss. Rechts der Hafen Waltershof, dahinter Finkenwerder, Airbus und das Alte Land. Direkt unterhalb des Plateaus, früher ein privater Garten, das Dockland. Auf der Balkonwiese strecken drei Bronze-Fischer des Künstlers Gerhard Brandes ihre Ruder in den Himmel, grüßen die Schiffe.

Unterm Balkon verläuft ein Bahntunnel, mal Schellfischtunnel, mal Heringstunnel genannt. Am Tag des offenen Denkmals im September darf man hindurch. Er verbindet den Altonaer Hafen mit dem Bahnhof. Den frisch gefangenen Fisch schnellstmöglich weiterverfrachten, das war die Idee.

Adresse Ecke Palmaille / Max-Brauer-Allee, 22767 Hamburg | Hochbahn S 1, S 2, S 3, Haltestelle Königstraße; Bus 2, Haltestelle Behnstraße; Bus 111, 113, Haltestelle Elbberg; Bus 112, Haltestelle Rathaus Altona | Tipp Ein Treppchen im Westen des Parks führt zu einer Grotte am Fuß des Balkons. Die »Störtebekerhöhle« war lange zugewuchert. Ein Gitter schützt sie.

2 Das Dock 11

Manufaktur fürs Spielzeug der Milliardäre

Wenn Männer reicher sind als Dagobert Duck, geht es wie bei kleinen Jungs um die Länge. Zweimal schon hat die Werft Blohm + Voss die Eclipse gestreckt, den schwimmenden Palast des Oligarchen Roman Abramowitsch. Er hat mit Gummienten angefangen, ist mit Öl, Gold, Flugzeugen und allerhand dubiosen Geschäften Milliardär geworden und war bis zum Ukraine-Krieg 19 Jahre Eigentümer des Londoner Fußballclubs Chelsea. Die Werftarbeiter haben die Eclipse in zwei Teile gesägt und ein neues Stück eingepasst, damit Abramowitsch der Größte ist. Der Besitzer der größten Yacht auf den Ozeanen. Der 163-Meter-Abramowitsch-Kahn ist einen Meter länger als die Dubai des Scheichs Muhammad bin Raschid al-Maktum, zwielichtiger Herrscher des gleichnamigen Emirats. Leider hat der Rekord nicht lange gehalten. Die Azzam des Kalifen bin Zayid al Nahyan aus Abu Dhabi ist heute mit 181 Metern der größte private Protz-Pott.

Eclipse ist Englisch, heißt Finsternis. Dabei ist das Schiff mit neun Decks eine strahlende Schönheit. Im Dock 11 von Blohm + Voss war es immer wieder zu Gast, um geliftet zu werden. Die Werft, auf der die Schiffslegenden Bismarck, Vaterland, Wilhelm Gustloff, Gorch Fock oder Cap Arcona vom Stapel liefen und im Krieg Zwangsarbeiter und KZ-Häftlinge geschunden wurden, hat die Eclipse auch gebaut. Abramowitsch wollte viel Luxus, viel Schnickschnack. Platz für 36 Gäste und 90 Bedienstete. Kino. Disco. Laserkanonen, die Paparazzi-Kameras abwehren. Ein Klein-U-Boot mit eigener Garage. Beweise für ein Raketenabwehrsystem an Bord gibt es nicht.

Von der Fischauktionshalle aus ist Dock 11 auf der anderen Elbseite gut zu sehen. Es ist mit seinen vier Kranen das größte Schwimmdock Europas. Die Außenwand ist begehrte, unübersehbare Werbefläche. Man hat ausgerechnet, dass ein Transparent dort in vier Wochen mehr als zwei Millionen Kontakte erreicht. Das muss man sechsstellig bezahlen.

Adresse Aussichtspunkt: Große Elbstraße 9, 22767 Hamburg; Dock-Liegeplatz: Wendemuthkai, 20457 Hamburg | Hochbahn S 1, S 3, Haltestelle Reeperbahn; Bus 2, Haltestelle Fischmarkt; Bus 111, Haltestelle Fischauktionshalle; näher kommt man dem Dock bei einer Barkassenfahrt | Tipp Das Trockendock Elbe 17 links daneben misst in der Länge 351 Meter. Der Luxus-Liner Queen Mary 2 passt noch rein, ist regelmäßig fürs Lifting zu Gast.

3 Das Dockland

Diagonal denken

Einmal wie Kate Winslet fühlen! Einmal Leonardo DiCaprio sein! Sie steht mit geschlossenen Augen am Bug, der Wind zaust an ihren Haaren. Unter ihr nur Wasser, vor ihr die Weite des Elbstroms. Der Liebste tritt von hinten dicht an sie heran, breitet ihre Arme wie Flügel aus. Sie fliegen! Wer seinem Schatz ein flammendes Geständnis machen will wie Jack seiner Rose im Filmklassiker »Titanic«, ist auf der Aussichtsplattform des Docklands am richtigen Ort. 40 Meter weit ragt der Bug dieses futuristischen Schiffes über den Fluss. Sportliche nutzen das Highlight fürs Fitnesstraining, rennen die 136 Stufen bis aufs Deck auf und ab. Wer das zehnmal schafft, hat 250 Höhenmeter überwunden – ohne die Abwärtsstrecke.

Für Hadi Teherani ist wichtig, dass ein Gebäude nicht nur eine Funktion erfüllt, sondern ein Gefühl, eine Stimmung vermittelt. Ein guter Architekt sei nur, wer »gleichzeitig Ingenieur, Jurist, Künstler, Kaufmann und Dirigent ist«. Teherani hat die Kranhäuser am Kölner Rhein komponiert, den Berliner Bogen und eben das Dockland. Er hat die Seitenwände des rasanten Bürokomplexes wie in einem Parallelogramm in die Diagonale gezogen. So ragt die elbabwärts gelegene Seite weit über die Grundfläche am Ende des Edgar-Engelhard-Kais hinaus. Durch die Auskragung entsteht in der Gesamtansicht der Eindruck eines Schiffes. Teherani hat sich zugleich einen Wunsch erfüllt. Er hatte immer von der spektakulären Dachtreppe der Villa Malaparte auf Capri geträumt, die Brigitte Bardot im Film »Verachtung« im roten Bademantel hinabschreitet. Hier konnte er diesen Traum realisieren.

Der Architekt hatte das Glück, dass es dem Investor nicht auf die preisgünstigste Lösung ankam. Und dass es keinen Architektenwettbewerb gab, an dessen Ende eine Jury oft kühne Entwürfe verwässert. Wie schräg Teheranis Ideen sind, zeigt auch der Fahrstuhl. Auch der fährt die sechs Etagen diagonal nach oben.

Adresse Van-der-Smissen-Straße 9, 22767 Hamburg | Hochbahn Bus 111, Haltestelle Kreuzfahrtterminal Altona; Fähre 62, Anleger Dockland/Fischereihafen | Öffnungszeiten zu jeder Zeit zugänglich | Tipp Auch das Cruise Center Altona hat ein begehbares Dach. Kreuzfahrtschiffe von 300 Metern Länge werden hier abgefertigt. Der Terminal hat Landstromanschluss, Kapitäne können während der Liegezeit die Maschinen stoppen (Van-der-Smissen-Straße 5).

4 Der Gezi-Park-Fiction

Wenn Wünsche auf die Straße gehen

Dass es Tote geben könnte, hatte man befürchtet. Die bürgerkriegsähnlichen Zustände um die besetzten Häuser an der Hafenstraße waren eskaliert. Der Senat wollte sie abreißen. Die Bewohner, unterstützt von schwarz vermummten Schlägern, wehrten sich. Weltweit wurden Fernsehbilder gesendet, welche die kreativ bemalten Fassaden zeigten. Die schwarz-rot-goldene Banane als Persiflage auf den Staat. Den Nato-Draht, mit dem die Besetzer die Dächer sicherten. Die Barrikaden auf den Straßen. Zum Showdown, für die Räumung, hatte der Innensenator 5.000 Polizisten zusammengezogen. Im letzten Augenblick gab Bürgermeister Klaus von Dohnanyi sein Ehrenwort, dass es eine Lösung für die Bewohner geben werde, wenn die Straßensperren fallen. Sie fielen. Die Stadt verkaufte die Häuser an die Genossenschaft »Alternativen am Elbufer«. Seither ist – weitgehend – Ruhe.

Aus dieser Bewegung ist auch der Park Fiction entstanden. Anwohner der Gegend um den Pinnasberg und aus dem angrenzenden St. Pauli forderten eine Grünfläche im dicht bebauten Viertel. Die Künstler Christoph Schäfer und Cathy Skene entwickelten erste Pläne. Sie stellten einen Wunschcontainer auf. »Die Wünsche werden die Wohnung verlassen und auf die Straße gehen«, war das Motto. Jeder konnte seine Ideen einbringen. Das Projekt wurde auf der Documenta in Kassel vorgestellt. Am Ende hat man am Elbhochufer teils auf dem Dach einer Sporthalle den Park angelegt. Mit stählernen Palmen auf einer Pirateninsel, mit Basketballfeld und einer gewellten Rasenfläche als fliegender Teppich. Nach der Räumung des Gezi-Parks 2013 in Istanbul mit 8.000 Verletzten hat man den Park Fiction solidarisch in Gezi-Park-Fiction umbenannt.

Es gibt neue Pläne. Eine Betonfläche unten am Elbufer, jetzt von Wohnmobilen genutzt, soll neuer, begrünter Flanierboulevard werden. Dass er bei Sturmflut mal unter Wasser stehen kann? Das geht auch wieder weg.

Adresse St. Pauli Fischmarkt 27, Ecke Pinnasberg/Antonistraße, 20359 Hamburg | **Hochbahn** S 1, S 3, Haltestelle Reeperbahn; Bus 2, 112, Haltestelle Hafentreppe | **Tipp** Wer die Antonistraße hundert Meter nach Norden geht, kommt zum Hein-Köllisch-Platz. Ein altes Torhaus von 1820 ist jetzt die Kneipe Doppelschicht. Genau hier verlief die Grenze zwischen den Städten Altona und Hamburg.

5 Der Kuddl Dutt

Popeye und sein Appetit auf Spinat

Die aufgepumpten Unterarme mit den Anker-Tattoos. Matrosenanzug und immer ein schiefes Gesicht, weil im Mundwinkel die Pfeife hängt und er beständig ein Auge zukneift. Das sind die Markenzeichen von Popeye. Und natürlich der Spinat aus der Dose. Die zerdrückt der Seemann mit der Hand, damit der Deckel aufploppt. Büchsenweise schüttet er das Grün in sich hinein. Deshalb war der rotzfreche Schlacks in der zweiten Hälfte des vergangenen Jahrhunderts auch für viele Eltern ein Held. Popeyes Spinatexzesse machten es ihnen leichter, Kindern – vor allem den Jungs – das Gemüse schmackhaft zu machen. Alle wollten so stark werden wie ihr Comic-Champion. Vor jeder Keilerei verschlingt der mindestens eine Dose Spinat. Und Popeye prügelt sich oft. Bevorzugt mit dem Grobian Bonzo.

Seinen Mordsappetit auf Spinat hat Popeye erst im Laufe der Jahre entwickelt. Den gibt's noch nicht, als der maritime Haudrauf in die Comic-Welt eintritt. Zum ersten Mal erscheint er 1929 in Cartoons, die Elzie Crisler Segar für das New York Journal zeichnet. Wenige Monate später küsst ihn die süße Olivia aus Versehen auf die Wange. Popeye ist sofort unsterblich verliebt. Oft gibt er sich knurrig, aber eigentlich ist er herzensgut. Popeye wird ein Bestseller. Hunderte Trickfilme werden gedreht. Die Hamburger Morgenpost druckt als eine der ersten deutschen Zeitungen in den 1950er Jahren die Popeye-Strips. In der Morgenpost heißt der Seemann Kuddl Dutt. Nach Auskunft des Wörterbuchs »Platt för Plietsche« lässt sich »Kuddl« ins Hochdeutsche mit »Karl« übersetzen. »Dutt« steht für »Klumpen«, »in'n Dutt haun« heißt »zusammenschlagen«.

Vor Hamburgs ältester Seemannskneipe Schellfischposten, in der die NDR-Show »Inas Nacht« aufgezeichnet wird, steht der Kuddl Dutt als Eichenholzskulptur. Der österreichische Bildhauer Erich Gerer zeigt ihn zusammen mit seiner Olivia in ihren viel zu großen Schuhen.

Adresse Carsten-Rehder-Straße 62, 22767 Hamburg | Hochbahn S 1, S 3, Haltestelle Königstraße; Bus 2, Haltestelle Fischmarkt; Bus 111, Haltestelle Sandberg | Tipp In seinem Rücken hat der Kuddl Dutt die Köhlbrandtreppe. Sie war ab 1887 der tägliche Weg der Arbeiter aus ihren Quartieren in Altonas Oberstadt zum Elbufer und zum Hafen.

6 Die Perlenkette

Frauen an die Häuserfront!

Die Frau im weißen Kittel drückt den nassen Feudel aus, bevor sie den Boden wischt. Sie hat ihre Arbeitsutensilien auf einem Rollwagen verstaut. Den Eimer mit Wasser. Lappen. Aggressive Reinigungsmittel. Klopapierrollen, die sie auf den Toiletten nachlegen will. Blaue Müllsäcke stehen bereit. Wortstreifen umrahmen das Gemälde an einem Hinterhof-Treppenaufgang. »Rücken«, »Nachtschicht«, »Wisch und weg«, »Hetze«, »Geringfügig« ist zu lesen. Die Begriffe sollen dem Betrachter Assoziationen erleichtern. Das Bild der Putzfrau ist eines von mehr als einem Dutzend Murales entlang der Großen Elbstraße. Sie erzählen vom Wandel und der Vielfalt weiblicher Wirtschaftskraft im Hafen in der Geschichte und in der Gegenwart. Die Reinemachfrau in den Kontoren gehört dazu.

Die Frauen-Freiluft-Galerie ist eine Initiative der Kunsthistorikerin und Frauenrechtlerin Elisabeth von Dücker (1946–2020) sowie der Malerin Hildegund Schuster. Die Künstlerin selbst hat zusammen mit Kolleginnen aus New York und London und der Argentinierin Cecilia Herrero, die in Bielefeld lebt, etliche der Bildcollagen erstellt. »Erinnerungsspuren der entschwindenden oder unsichtbaren Historie weiblicher Hafenarbeit werden verknüpft mit aktuellen Perspektiven von heute hier beschäftigten Frauen«, wird Elisabeth von Dücker zitiert. Ihre »kulturelle Perlenkette« zeigt nicht nur die Frauen beim Rollmopsrollen, die Bananenwäscherinnen, die Sexdienstleisterinnen am Uferstrich. Sie sind auch ein Kaleidoskop der heutigen Kapitäninnen, der Hafenlogistikerinnen, der Frauen, die auf ihren Container-Brücken die Schiffe entladen. Das erst seit 2006.

Das Bild am Treppenaufgang zur Palmaille (Große Elbstraße 210) haben Schülerinnen im Alter von 13 bis 18 Jahren gestaltet. Die Teilnehmerinnen eines Kurses an der Kunsthalle haben zuvor in Hafenbetrieben mit Auszubildenden gesprochen. Das Gemälde zeigt Seilerinnen.

Adresse Große Elbstraße 164, 22767 Hamburg | Hochbahn S 1, S 3, Haltestelle Königstraße; Bus 2, Haltestelle Behnstraße; Bus 111, Haltestelle Große Elbstraße; Fähre 62, Anleger Altona/Fischmarkt oder Dockland | Öffnungszeiten Mo 10–14 Uhr; Duschbetrieb am Millerntor, in Bergedorf und am Steintorplatz unter www.gobanyo.org | Tipp Weiter ums Eck des Gebäudes 164: Hildegund Schuster und Cecilia Herrero thematisieren auf der Rückwand eine Frauen-Demonstration.

7 Des Pudels Locke

Die Elphi und eins drauf

Die Ansage ist so phantasievoll wie die Idee selbst. Der Golden Pudel Club ist »ein Ort alternativer Notwendigkeit, an dem Selbstbestimmtheit, Kratzbürstigkeit, Bekloppheit und Wärme zusammenkommen«. So steht's in der Präambel des Vereins für Gegenkultur, der den Club trägt. Dieser sei »Kunstraum, Happening-Ort, diskursive Kneipe oder Leerraum für Zwecklosigkeit«. Nichts ist unmöglich. »Der Pudel begreift sich als gelebte Alternative zur Wertschöpfungskette einer fresssüchtigen Eventmaschine in einer immer stärker kommerzialisierten Stadt«, heißt es in einem anderen Papier. Sicher ist: Unter den ikonischen Clubs der Stadt ist der Goldene Pudel der Prinzipal. Eine Bastion alternativen Lebens in Nachbarschaft zur einst umkämpften Hafenstraße. Spielplatz nationaler und internationaler Untergrundmusiker. Themenabende haben Mottos wie »Die Kotze hat meine Jacke verklebt« oder »Die Welt zu Gast beim Feudeln«.

Die Allround-Künstler Schorsch Kamerun und Rocko Schamoni haben den Pudel gegründet. Vor einigen Jahren zerstört ein Feuer den Club im alten Gefängnis für Schmuggler. Zunächst kann nur das Erdgeschoss wiederaufgebaut werden, zuletzt kommen zwei Obergeschosse unterm sägezahnförmigen Scheddach obendrauf. Es erinnert an alte Fabriken, soll bekunden: Hier wird gearbeitet. Musik, Raum für Kunst, Diskussionen über Politik und Literatur, Karaoke. Das ist das Konzept.

Der Golden Pudel Club wird auch »Elbphilharmonie der Herzen« genannt. Barboncino Zwölphi ist in den ersten Jahren der Name des Kulturzentrums obendrüber. »Barboncino« kommt aus dem Italienischen, heißt auf Deutsch »Pudelchen«. Die Elphi steht in Sichtweite. Man hat unbedingt noch eins draufsetzen wollen. Jetzt ist das Barboncino mit neuem Team die Location Locke. »Wir wollen zeigen, dass wir zum Pudel gehören«, sagt Mitinitiatorin Lu Dolgner. »Das Erkennungsmerkmal eines Pudels sind seine Locken.«

Adresse Am St. Pauli Fischmarkt 27, 20359 Hamburg, Tel. 040/28468911 | Hochbahn S 1, S 3, Haltestelle Reeperbahn; Bus 2, 112, Haltestelle Hafentreppe | Öffnungszeiten und Programm unter www.pudel.com und www.locke.hamburg | Tipp Ella Fitzgerald und Duke Ellington sind hier aufgetreten, die Riverkasematten nebenan waren legendärer Jazz-Club. Eine Brauerei mit Pub und Pizzeria ist eingezogen (Am St. Pauli Fischmarkt 28–32).

8 Der schwarze Block

Unbequem und störend soll er sein

Sol LeWitt hat über diesen Klotz gesagt, er sei »das wichtigste Stück, das ich je gemacht habe«. Der US-amerikanische Konzeptkünstler hat aus Gasbetonsteinen einen Quader gemauert. Fünf Meter lang, zwei Meter hoch, zwei Meter tief. Den Block hat er schwarz bemalt. Keine Inschrift verrät, was er uns sagen soll. Das hat der Künstler so gewollt. Vorgesehen war auch, dass er in Kontrast zu einem repräsentativen Gebäude steht. Das Kunstwerk der Minimal Art ist am südlichen Ende des Platzes der Republik aufgebaut, in axialer Lage zum strahlend weißen neoklassizistischen Altonaer Rathaus auf der gegenüberliegenden Straßenseite. Ein harter Kontrast, das war der Plan. Der Quader soll nicht passen, soll unbequem und störend wirken.

Der Stolperstein »Black Form« ist »den vermissten Juden gewidmet«. Der schwarze Block soll aber nicht nur an die erinnern, die in Konzentrationslagern ermordet wurden. Sondern auch an deren ungeborene Kinder und Enkel, »deren Fehlen in der deutschen Gesellschaft deutlich spürbar ist«, so der Künstler. Mehr als 300 Jahre gehörte zu Altona eine jüdische Gemeinde. 1926 lebten hier 2.000 Juden. 1943 kein einziger mehr.

Sol LeWitt (1928–2007) hat lange mit architektonischen Raumstrukturen, mit Kuben und Würfeln experimentiert. Viermal war er mit seinen Werken auf der Documenta in Kassel vertreten. Die »Black Form« hatte er ursprünglich für eine Ausstellung in Münster entworfen. Einige Monate stand sie dort vor dem Fürstbischöflichen Schloss. Als sich die Stadt nicht entschließen konnte, das Kunstwerk anzukaufen, entschied LeWitt, das Konzept seiner Skulptur Hamburg zu schenken. In Altona suchte man schon lange nach einem Denkmal für die zerstörte jüdische Gemeinde. Der schwarze Block wurde in Münster eingerissen und in Hamburg wiederaufgebaut. Münster hat das später bereut. Über eine Replik dachte man nach. Das hat der Künstler nicht zugelassen.

Adresse Platz der Republik, 22765 Hamburg | Hochbahn S 1, S 2, S 3, Haltestelle Bahnhof Altona; Bus 1, 15, 112, 250, Haltestelle Rathaus Altona | Tipp Am nördlichen Ende des Platzes ist der Stuhlmannbrunnen das beherrschende Kunstwerk. Im Mittelpunkt kämpfen zwei Zentauren, Allegorien der früheren Nachbarstädte Hamburg und Altona, um das Recht auf Fisch.

9 Elíassons Raumschiff

Spiegelleien am neuen Alten Wall

Er hat Flüsse grün gefärbt. Die Reaktion der ahnungslosen Öffentlichkeit war Teil des Kunstwerks. Er hat in Manhattan vier gewaltige Wasserfälle installiert, die Londoner Tate Modern mit einer riesigen künstlichen Sonne beschienen und die Fassade des Konzerthauses in Reykjavík mit Farbeffektgläsern gestaltet, die je nach Wetter verschieden leuchten. Die Installationen von Ólafur Elíasson sind immer spektakulär. Der dänische Künstler mit Studio in einer alten Berliner Brauerei experimentiert mit den physikalischen Phänomenen von Licht, Wasser, Bewegung oder Reflexion.

Am Alten Wall hat Elíasson zwei mit anthrazitbraunem Messing ummantelte Objekte aufgestellt, neun Meter hoch. Aus der Distanz wirken sie wie Raumschiffe oder Raketen auf Stelzen. »Skulpturale Interventionen« nennt der Künstler sein Werk. Man kann sich darunter stellen, den Blick nach oben richten – und wird überrascht von meisterhaften Effekten.

Zahllose dreieckige Spiegel formen sich zu einem Prisma, in dem sich die Umgebung abbildet. Ausschnitte der umstehenden Fassaden. Wolken. Der Himmel. Wie ein geschliffener Diamant sieht es aus. »Man nimmt eine zusammengesetzte Perspektive wahr«, sagt der Künstler. »Die Skulptur ist ein Spiegel. Er bietet eine pluralistische Sicht auf eine Gesellschaft, die nicht hierarchisch und singulär, sondern als vielgestaltig zu verstehen ist.«

Hinter den historischen Fassaden der Häuser 2 bis 32 am neuen Alten Wall hat ein Investor 300 Millionen Euro für eine Kunsthalle, Läden und Büros verbaut. Der frühere Hinterhof der City soll mit einem »Dreiklang aus Kunst, Gastronomie und Einzelhandel« neue Flaniermeile sein. Das Bucerius Kunst Forum ist eingezogen. Der Herrenausstatter Ladage & Oelke, die japanische Modemarke Uniqlo, der US-Händler Anthropologie. Wallter's Wine Beef Kontor und die Swan Bar sind weitere Mieter. Elíassons Raketen sind Teil des Konzepts.

Adresse Alter Wall 2–32, 20457 Hamburg | **Hochbahn** U 2, S 2, S 3, Haltestelle Jungfernstieg; Bus 3, 5, 16, 17, 19, Haltestelle Rathausmarkt | **Öffnungszeiten** Bucerius Kunst Forum: Fr–Mi 11–19 Uhr, Do 11–21 Uhr | **Tipp** Die Börse gegenüber überstand den Großen Brand von 1842 als einziges Gebäude des Quartiers. Die Börse und ihre Kunstausstellungen können kostenlos mit Audioguide besichtigt werden (Adolphsplatz 1, geöffnet Mo–Do 9–17 Uhr, Fr 9–16 Uhr).

10 Das Hochbahnviadukt

Warum die U-Bahn Übergrundbahn ist

Es hat nicht viel gefehlt. Beinahe hätte man in Hamburg eine Schwebebahn wie in Wuppertal gebaut. 24.000 Menschen waren für den Hafenausbau an den Stadtrand umgesiedelt worden. Gleichzeitig mussten die Hafenarbeiter ihren Arbeitsplatz erreichen können. Ein neues Nahverkehrskonzept war nötig. Berlin hatte schon eine U-Bahn. Was sollte es in Hamburg sein? Etliche Fleete waren zu überwinden. Untertunneln? Drüber schweben? Die Pläne dafür waren weit gediehen. Sogar der Fahrpreis ausgerechnet: in der Holzklasse drei Pfennige für den Kilometer. Letztendlich bekam 1906 ein Konsortium von AEG und Siemens den Zuschlag für eine Untergrundbahn, die auf den längeren Strecken Übergrundbahn ist.

Quietschend windet sich der Zug am Mönkedamm aus der Tiefe empor. Dieses Streckenstück ist steil, führt durch eine enge Häuserschlucht knapp am Mauereck vorbei, steuert in einer Linkskurve auf den Bahnhof Rödingsmarkt zu. Ab hier geht es über die Station Baumwall auf stählernen Stützbögen zu den Landungsbrücken. Allerfeinstes Hafen-Sightseeing! Die Bahn untertunnelt nun die Reeperbahn und das Millerntor-Stadion, taucht beim Schlump wieder auf. Der schnurgerade Abschnitt zwischen Hoheluftbrücke und Eppendorfer Baum ist noch einmal historisches Schmuckstück auf Stelzen. Darunter der Isemarkt, Stand neben Stand, einen Kilometer lang (dienstags und freitags).

Die erste Strecke, auf der heute die gelbe U 3 fährt, war ein Ring um den Alstersee. Der Ring verbindet die Wohnviertel mit der Innenstadt und dem Hafen. Heute rollen außerdem die blaue U 1, die rote U 2, die minzefarbene U 4. Hängt man alle U-Bahn-Wagen aneinander, entsteht ein Zug von 14 Kilometer Länge. Die U5, führerlos und in der Farbe Karamell, ist im Bau. Sie soll die Arenen im Volkspark über den Jungfernstieg und St. Georg mit Bramfeld im Nordosten verbinden. Für die Hochbahn AG starten zudem 1.100 Busse. Alle Neufahrzeuge fahren mit Batterie oder Brennstoffzelle.

Adresse Mönkedamm, Ecke Großer Burstah / Altenwallbrücke, 20457 Hamburg | **Hochbahn** U 3, Bus 3, 17, 21, Haltestelle Rödingsmarkt | **Tipp** Das Vornehm-Hotel Fraser Suites hinter dem Bahnhof Rödingsmarkt war früher Oberfinanzdirektion. Der üppige neobarocke Schmuck der zweigeschossigen Eingangshalle ist für ein Hamburger Bürogebäude sehr ungewöhnlich (Rödingsmarkt 2).

11 Das Hulbe-Haus

Rache für immer und ewig

Georg Hulbe war Meister seines Fachs. Er war Punzer. Beim Punzieren treibt der Kunsthandwerker die Punzen, sein Werkzeug, ins Leder. Er prägt es, veredelt durch Verzieren. Mit einem Initial, mit Schmuckornamenten. Hulbes Lederarbeiten – Schreibmappen, Paravents – waren hoch angesehen. Die Lederausstattung des Berliner Reichstages hat er punziert. Sessel und Tapeten im Hamburger Rathaus. Auch das Goldene Buch der Stadt, eigentlich eine von Leder ummantelte Schatulle für eine Loseblattsammlung. Der Deckel zeigt das Hamburger Staatswappen, darunter den Spruch »Gott mit uns«. In den Buchrücken hat Hulbe den Reichsadler getrieben, vergoldete Beschläge schützen die Ecken.

Georg Hulbe (1851–1917) hat damals in St. Georg seine Werkstatt und am Jungfernstieg einen Laden. Als Anfang des vergangenen Jahrhunderts die Mönckebergstraße zwischen Altstadt und Hauptbahnhof gebaut wird, lässt Hulbe dort sein neues Kunstgewerbehaus errichten. Er will einen städtebaulichen Akzent, der sich absetzt von Kontorhäusern wie dem Südseehaus (Mönckebergstraße 6). Architekt Henry Grell entwirft ein verspieltes Haus im Stil der niederländischen Renaissance. Mit Treppenaufgang im Rundturm und vergoldeter Hansekogge auf dem Dach.

Was ist das für ein Relief am rechten Hauseck? Mehr als eine Anspielung. Hulbe hatte in seinem Jungfernstieg-Geschäft Bilder des Künstlers Ferdinand von Rezniček ausgestellt, der für den Simplicissimus zeichnete. Nach Meinung des Anwalts Rudolf Mönckeberg, Bruder des Bürgermeisters Johann Georg Mönckeberg, waren die dargestellten Damen zu wenig bekleidet. Er zeigte Hulbe an. Der musste Strafe zahlen. Das Relief zeigt nun einen Mönch, der einen Esel reitet. Ein Mönch ist auch Teil des Familienwappens der Mönckebergs. Ein Narr führt den Esel. Der Mönch zieht die Fahne der Kunst hinter sich her durch den Dreck. Das Relief ist Georg Hulbes kleine Rache für die Ewigkeit.

Adresse Mönckebergstraße 21, 20095 Hamburg | Hochbahn U3, Haltestelle Rathaus; Bus 3, 5, 6, 16, 17, 19, 31, 34, 36, 37, Haltestelle Gerhart-Hauptmann-Platz | Tipp Gefesselt und in Häftlingskleidern! Die Statue gegenüber vor der Kirche Sankt Petri zeigt den Pfarrer und Widerstandskämpfer Dietrich Bonhoeffer, 1945 im KZ Flossenbürg ermordet. Verleger Axel Springer stiftete die Plastik von Fritz Fleer.

12 Die mahnenden Glocken

Sankt Nikolai, höher als der Petersdom

Diese Geschichte beginnt unterirdisch. Die Kirche, die Geld ja immer brauchen kann, hat die Kellergewölbe unter Sankt Nikolai über hundert Jahre lang als Weinkeller verpachtet. Konstant 12 bis 14 Grad, 75 Prozent Luftfeuchtigkeit – ideale Bedingungen für edle Tropfen. Bis zu 650.000 Flaschen von 350 Sorten sollen hier gelagert worden sein. Dazu Fässer mit Cognac, Sherry, Madeira. Die Fliegerbomben von 1943 haben das Kirchenschiff in Schutt und Asche gelegt. Dem Kreuzgewölbe und seiner wertvollen Ware haben sie nichts getan. Der letzte Mieter ist nach Insolvenz ausgezogen. Sein Werbespruch: »Wer froher Stimmung möchte sein, der trink' C.C.F. Fischer Wein.« Vom Nikolai-Museum aus kann man einen Blick in den Keller werfen. Eichenfässer stehen herum.

Der Turm von Sankt Nikolai, von dem britischen Architekten George Gilbert Scott gebaut, hat die fünf Bombennächte damals überstanden. Er war Zielmarke der Royal Air Force. Erst flogen die Blockbuster, welche die Häuser aufbrachen. Dann die Phosphorbomben, die den Feuersturm entfachten (siehe Ort 47). Augenzeugen berichten, er habe bis in eine Höhe von sechs Kilometern gereicht. Die ganze Stadt war ein Vulkan. Auch Sankt Nikolai war hinterher eine Ruine. Bis auf den Turm. Nach dem Krieg entschieden die Bürger, ihn und die Trümmer des Kirchenschiffs als Mahnmal zu erhalten.

Mit 147 Metern war der Turm einmal der höchste Kirchturm der Welt. Der fünfthöchste ist er immer noch, höher als der Petersdom. Ein Panoramalift fährt in 40 Sekunden zur Aussichtsplattform in 76 Meter Höhe. Wo einmal die Orgel ihren Platz hatte, hängen heute 51 Glocken. Ihr Tonumfang beträgt mehr als vier Oktaven. Das Carillon wird in der gläsernen Kabine darunter mit einer Tastatur bespielt, deren Hebel über Seile mit je einem Glockenklöppel verbunden sind. So kann der Carillonneur die Glocken variabel klingen lassen. Mal »forte«, mal »piano«.

Adresse Willy-Brandt-Straße 60, 20457 Hamburg, Tel. 040/371125 | Hochbahn U3, Haltestellen Rathaus und Rödingsmarkt; S1, S3, Haltestelle Jungfernstieg; Bus 3, 17, Haltestellen Großer Burstah und Rathausmarkt | Öffnungszeiten Museum und Plattform: Mai–Sept. täglich 10–18 Uhr, Okt–April täglich 10–17 Uhr; Glockenspiel: täglich 9, 12, 15, 18 Uhr, Live-Konzert Do 12 Uhr | Tipp Wo früher das Langhaus der Kirche stand, ist jetzt der »Platz der Ruhe« mit vielen Plastiken. Der Granitblock von Ulrich Rückriem in einer Blickachse mit dem Turm will »Zwiesprache über Verfall und Ewigkeit, über Zerstörung und Dauer« vermitteln.

13 Der Pudel

Padua, Polarstern, Plisch und Plum

Schnuckelige Kosenamen mag man sich viele ausdenken für seinen Schatz. Ihn »Pudel« zu nennen, bedarf jedoch einer Erklärung. »Pudel« war der Spitzname von Sophie Christine Laeisz, Ehefrau des Großreeders und Großmäzens Carl Heinrich Laeisz. Dessen besondere Liebeserklärung an die Gemahlin soll zurückzuführen sein auf ihre lockige Haarpracht, die schwer zu bändigen war. Alte Fotos zeigen Sophie Laeisz mit hochgesteckter Frisur, das Haar in Wellen gelegt. Der Göttergatte selbst konnte mithalten. Sein Kopf war von buschigem Backenbart patriarchalisch umrahmt. Laeisz' rötliches Gesicht »mag der Vorliebe für Cognac zuzuschreiben sein«, notiert die Hamburgische Wissenschaftliche Stiftung.

Am Nikolaifleet hat Carl Laeisz (1828–1901) von den Architekten des Hamburger Rathauses ein neues Kontorhaus bauen lassen. Der Laeiszhof ist noch heute Sitz der Reederei. Über dem Haupteingang starre Verehrung für die Kerle jener Zeit: Reichskanzler Otto von Bismarck, Kaiser Wilhelm I., die Generalfeldmarschälle Albrecht von Roon und Helmuth von Moltke, Sieger der deutschen Einigungskriege. Ums Eck, zum Fleet hin, ist die Deko verspielter. In luftiger Höhe sitzt auf einem Ziergiebel zwischen Türmchen – ein Pudel.

»Pudel« hieß auch der erste Schiffsneubau, nachdem Carl Laeisz in das Unternehmen von Senior Ferdinand eingestiegen war. Fortan hatten die meisten Laeisz-Schiffe ein »P« im Namen. Man setzte auf flotte Windjammer, die auch bei starkem Sturm Kap Hoorn umrunden konnten, um in Südamerika Salpeter zu bunkern. Als P-Liner waren sie international geachtet. Der Viermaster Padua segelt heute noch als russisches Schulschiff. Nach dem Zweiten Weltkrieg fing die Reederei mit den Fischkuttern Plisch und Plum neu an. Heute betreibt das Unternehmen, jetzt mit neuen Eignern, Containerschiffe, Autotransporter. Auch das Forschungsschiff Polarstern, in der Arktis und Antarktis unterwegs.

Adresse Trostbrücke 1, 20457 Hamburg, Tel. 040/368080 (Reederei) | Hochbahn U1, Haltestelle Meßberg; Bus 5, 16, 17, 19, Haltestelle Speersort | Tipp Die Trostbrücke war am Ende des Mittelalters das, was heute an Bahnhöfen als Arbeiterstrich bezeichnet wird: Tagelöhner warteten hier auf Arbeitgeber.

14 Der HSV-Fan-Friedhof

Es ist ein Kreuz mit der Raute

Ihre Namen sind kunterbunt. »Blauer Dorsch«, »HSV-Sexmachines«, »Follfosten«, »Biernot« oder »Hummel, Hummel Deerns« heißen Fanclubs des Hamburger Sport-Vereins. »Die Unabsteigbaren« haben nach dem Sturz des HSV im Mai 2018 in die zweite Liga wenigstens die Hoffnung aufrechterhalten. Bald 250 Fanclubs haben die Kicker allein in Hamburg. Von der Volksparkstadion-Nordtribüne brüllen die engagiertesten Anhänger die Hymne »Hamburg, meine Fußballperle«. »Nur der HSV!« ist der Schlachtruf. Ein Lied der Punkrocker »Abschlach!« hat es den Fans besonders angetan: »Hamburg, till I die« (Hamburg, bis ich sterbe).

Für die Treuesten ist, nur einen Abstoß entfernt von der Westtribüne auf der anderen Seite des Hellgrundweges, ein eigenes Friedhofsareal angelegt. Man erreicht es durch den Seiteneingang des Hauptfriedhofs Altona gegenüber den Trainingsplätzen, jetzt rechts halten. Die Anlage ist einem Stadion nachempfunden. Man betritt sie durch einen Betonbogen in den genauen Ausmaßen eines Fußballtors. Im Halbrund, das an eine Stadionkurve und Tribünen erinnert, sind auf Terrassen gestaffelt die Grabstätten vorbereitet. Den Rasen hat man vom Spielfeld des Stadions abgetragen und hierhin verpflanzt. Drei Varianten der Bestattung sind möglich: Der »Einzelspieler« liegt im separaten Grab, der »Doppelpass« meint ein Zweiergrab, die Urnenbeisetzung im Gemeinschaftsfeld heißt »Team«. Urnen mit HSV-Raute werden angeboten. Standesgemäß ist auch ein blau-weiß-schwarzer Sarg, mit der Raute ausgeschlagen.

André Schau ist hier beerdigt. Er starb früh, mit 26 Jahren. Horst Eberstein liegt hier, er war lange im HSV-Aufsichtsrat. Zur Eröffnung des Fan-Friedhofs im Jahr 2008 kamen Reporter sogar aus Japan, weil er nach dem Vorbild des Gräberfelds der Boca Juniors in Buenos Aires erst der weltweit zweite seiner Art war. Von den 500 möglichen Gräbern sind erst zwei Dutzend belegt. Es ist ein Kreuz mit der Raute.

Adresse Hellgrundweg, 22525 Hamburg | Anfahrt S21, Haltestellen Eidelstedt und Stellingen; Bus 22, Haltestellen Schnackenburgallee und Hellgrundweg/Arenen; Bus X3, Haltestelle Stadionstraße | Öffnungszeiten April–Okt. 8–21 Uhr, Nov.–März 8–18 Uhr | Tipp Großer Fußballer, großer Fuß: Vor dem Nord-Ost-Eingang des Volksparkstadions steht ein Bronzeabguss des rechten Fußes von HSV-Idol Uwe Seeler (1936–2022). Das Werk der Künstlerin Brigitte Schmitges ist mit fünf Meter Fußsohle die größte Fußskulptur der Welt (Sylvesterallee).

15 Die Boberger Düne

Flugsand buddelt die Bäume ein

Schnell ist sie nicht, aber es geht voran. Um zehn Zentimeter im Jahr verlagert sich die große Düne bei vorherrschenden Südwestwinden nach Nordosten. Am Dünenhang sind tief eingesandete Birken zu sehen, die mal frei gestanden haben. Die Boberger Düne ist eine Wanderdüne in der Großstadt. Von dort, wo heute in St. Georg die 90-Meter-Bürotürme des Berliner-Tor-Centers stehen, hat sie einmal bis nach Bergedorf gereicht. Schmelzwasser nach der letzten Eiszeit hatte die Sandmassen abgelagert, Wind häufte sie auf. Diesen Rohstoff nutzten die Menschen. Den größten Teil haben sie über die Jahrhunderte abgegraben. Die früher sumpfigen Stadtteile Hammerbrook und Billbrook wurden damit aufgeschüttet, die Bahnstrecke von Hamburg nach Bergedorf ist so unterfüttert. Ein Glück, dass man sich 1927 über den Preis für einen Kubikmeter Sand nicht einig werden konnte. Sonst wäre auch die Boberger Düne weggeschaufelt worden.

Wozu nach Sylt, wenn man auch in der Millionenmetropole in den Dünen liegen kann? Als Hamburg zur Corona-Hochzeit die Spielplätze sperrte, haben die Familien hier im Sand gebuddelt. Vier Themenwege führen durchs Naturschutzgebiet mit Heidelandschaft abseits der Düne, mit Mooren, Badesee und Orchideenwiesen. Von April bis Oktober ziehen Heidschnuckenherden mit Hütehunden übers Gelände, um die Natur zu pflegen. Die Heide würde sonst schnell verbuschen. Aufkommende junge Birken und Zierpappeln werden mit Hacken entfernt. Die Heide wird »entkusselt«, sagt man.

Für Naturschützer sind die Düne und die Boberger Niederung Hamburgs botanisch und biologisch wertvollstes Gebiet. Viele Tiere, die auf der Roten Liste stehen, haben hier eine Heimat. Der blaue Moorfrosch. Der Ameisenlöwe. Der Warzenbeißer. Golddistel, Tausendgüldenkraut, Sumpf-Herzblatt wachsen. Wie an einer Schnur sprießen die Triebe der Sandsegge aus dem Boden. »Nähmaschine Gottes« wird sie genannt.

Adresse Boberger Furt 50, 21033 Hamburg, Tel. 040/73931266 (Info-Zentrum Boberger Dünenhaus) | Hochbahn Bus 221, Haltestelle Boberger Furtweg | Öffnungszeiten Di–Fr 9–13 Uhr, So 11–17 Uhr (Boberger Dünenhaus) | Tipp Sich in den weißen Sand legen, in den Himmel schauen. Oben kreisen lautlos die Flieger des Segelflugplatzes, der auch in der Niederung liegt.

16 Der Elbhöhenweg

Gute Aussichten, gute Einsichten

Das Falkensteiner Ufer kann bei Gute-Laune-Wetter Rempelzone sein. Radler, Skater, Spaziergänger, Jogger und E-Roller-Heißsporne beanspruchen den schmalen Streifen für sich. 30 Meter oberhalb ist man auf dem Elbhöhenweg fast für sich allein. Als ausgetretener Pfad schmiegt er sich in Serpentinen an den Elbhang. Man braucht vernünftige Schuhe und gute Kondition. Es geht bergauf und bergab. Teils über steile Treppen. Man hat Einblick in die Parks beeindruckender Villen und Ausblick weit über den Strom mit seinen Inseln. Wanderweg-Hinweise sind selten. Da aber immer Sichtkontakt zur Elbe besteht, kann sich keiner verlaufen.

Von der Haltestelle ein paar Schritte elbabwärts, führt rechts eine Treppe hinauf. Nach 127 Stufen endet sie im Römischen Garten. Ein Stück Italien, eine Perle Hamburgs, aber auch hier sind selten Menschen. Eine zur Girlande geschnittene Thujenhecke begrenzt die Geesthangkante der oberen Terrasse mit ihren Seerosenbecken. Eine geschwungene Treppe führt hinunter zum Miniatur-Amphitheater. Im Sommer wird es manchmal bespielt. Der Kaufmann Anton Julius Richter hatte den Garten Ende des 19. Jahrhunderts anlegen lassen. Die Bankiersfamilie Warburg hat ihn erweitert. Nach dem Zweiten Weltkrieg war das kleine Paradies ein Kartoffelacker. Die Warburgs überließen den Garten der Stadt mit der Auflage, ihn zu erhalten. Erst in den 1990er Jahren hat man Teile davon restauriert.

Über die Westtreppe führt der Elbhöhenweg Richtung Falkenstein. Am Falkensteiner Weg muss man steil bergauf. Oben am Parkplatz ist der Pfad wieder ausgeschildert. Bester Elbblick! Jetzt weiter durch dichten Wald, vorbei an Gebäuden, die Königshäuser sein könnten, und der Villa Michaelsen (siehe Ort 19). Nun über das Sträßlein Rissener Ufer runter zum Leuchtturm Wittenbergen am Strand. Oder man läuft oberhalb durch die Wittenberger Heide, Reste einer Düne, die früher bis zum Elbufer reichte.

Adresse Elbhöhenweg, 22587 Hamburg | Hochbahn Bus 488, Haltestelle Falkentaler Weg | Tipp Gibt's sonst nur im Alten Land auf der anderen Elbseite: Zwei Prunkpforten markieren die Hofdurchfahrt des Fachwerk-Herrenhauses unterhalb des Römischen Gartens (Falkensteiner Ufer 28).

17 Ulrike Meinhofs Haus

Pinkeln für die Revolution

In jeder Amtsstube, auf jeder Litfaßsäule hing ihr Fahndungsfoto. Halblange, dunkle Pony-Frisur. »Ulrike Meinhof. Wegen Beteiligung an Morden, Sprengstoffverbrechen und Banküberfällen steckbrieflich gesucht.« Sie war Kopf der Baader-Meinhof-Bande und Mitbegründerin der linksterroristischen Roten Armee Fraktion. Sie war Staatsfeindin Nummer eins. Kaum einer weiß noch, welches gutbürgerliche Leben sie zuvor führte.

Es ist die Zeit des Ausbruchs aus dem Mief der Adenauer-Ära mit Alt-Nazis als Amtsträgern und Alpenveilchen-Spießbürgerlichkeit. Des Aufeinanderprallens der Generationen. Die Jugend hat lange Haare, trägt US-Parka und Twiggys Minirock. Ulrike Meinhof (1934–1976) ist damals erst Kolumnistin, dann Chefredakteurin des Linksblatts konkret. Sie heiratet den Herausgeber Klaus Rainer Röhl, der das Magazin mit einer Mischung von Sex und Sozialismus, Politik und Pornographie wirtschaftlich sehr erfolgreich führt. Man kann sich etwas leisten. Trägt handgenähte Schuhe. Fährt einen roten Porsche. Ist natürlich beim Galopp-Derby dabei. Macht Urlaub auf Hamburgs Partyinsel Sylt. Meinhof und Röhl kaufen in Blankenese eine zweigeschossige Villa. Im ganzen Viertel nur Reichen-Häuser. Hier wohnen die, welche die Kommunistin Ulrike Meinhof in ihren Leitartikeln angreift. Meinhof und Röhl sind Gastgeber rauschender Feste für Hamburgs linksliberale Schickeria, mit Champagner, Hummer und Wachteln. »Die Ulrike« ist der Star jedes Abends.

Weil Röhl eine Geliebte hat, lässt Meinhof sich scheiden, zieht mit den Zwillingstöchtern nach Berlin. Sie sagt: »Schreiben ist scheiße, jetzt wird Revolution gemacht!« Mit ihren neuen Freunden kommt sie noch einmal durch die Hintertür in die Blankeneser Villa zurück. Ulrikes Rebellen reißen Telefonkabel aus den Wänden, werfen die antiken Möbel um und Bilder durchs Fenster in den Garten. Mit revolutionärem Gruß pinkeln sie ins Ehebett.

Adresse Ferdinands Höh 10, 22587 Hamburg | Hochbahn S 1, Bus 22, 112, Haltestelle Blankenese | Öffnungszeiten Das Haus wird privat bewohnt. | Tipp Das Goßlerhaus in Goßlers Park (die Ferdinands Höh Richtung Westen bis zum Sülldorfer Kirchenweg, links, dann rechts) ist eines der markantesten Herrenhäuser in Blankenese. Das einem Tempel ähnliche Gebäude ist Sitz des Konservatoriums mit Musikschule und Akademie.

18 Uns Uwe

Geheimnisvoller Friedhof der Schiffe

Ablaufende Flut und dichter Nebel, der über der Elbe liegt. Das sind die besten Voraussetzungen, diesen Ort mit Gänsehaut zu spüren. Zentimeter für Zentimeter gibt das Wasser das Heck der Uwe frei. Immer höher steigt der rostige Rumpf des Binnenschiffes in den Dunst. Jetzt sind die Luken der Kajüte zu erkennen. Dann ist zu sehen, dass Schiffsschraube und Ruder fehlen. Mit einem Winkel von 45 Grad ragt das Heck in die Höhe. Bei Ebbe gibt es seine Geheimnisse preis.

Dichter Nebel liegt auch 1975 fünf Tage vor Weihnachten über dem Fluss. Es ist schon dunkel. Die Uwe, 60 Meter lang, ist elbabwärts unterwegs. Sie hat Kupferschlacke geladen. Auf Höhe des Fähranlegers Wittenbergen setzt backbords, links, der größere und schnellere Frachter Wiedau zum Überholen an. Wie aus dem Nichts taucht vor ihm in der Nebelsuppe der Bug des polnischen Stückgut- und Containerschiffes Mieczyslaw Kalinowski auf. Haben die Kapitäne die Radarsignale nicht gesehen? Keine Chance mehr, auszuweichen. Die Mieczyslaw Kalinowski rammt die Wiedau am Vorschiff. Stößt sie nach Steuerbord, genau in den Kurs der Uwe. Der Aufprall ist so heftig, dass die Wiedau das Binnenschiff in zwei Hälften schneidet. Sein Kapitän kann sich in letzter Minute aus dem Ruderhaus des sinkenden Kahns befreien und treibt im eiskalten Wasser. Auch die Wiedau geht unter. Ein Mann der Besatzung, eingeklemmt im Vorschiff, ertrinkt. 16 andere retten sich an den Strand. Senioren eines Altenheims versorgen sie mit Decken, heißem Tee und Suppe.

Die Havaristen zu heben, ist schwierig. Die Wiedau hat sich unter Wasser auf die Uwe gelegt. Als letztes Bruchstück schleppt eine Bergungsfirma das Heck zum Ufer vor Blankenese. Es darf vorerst nicht abgewrackt werden. Der Staatsanwalt hat Fragen. Später will niemand mehr fürs Verschrotten zahlen. Seither steckt die Uwe im Sand. Als sei sie gerade erst dabei, zu versinken.

Adresse Falkensteiner Ufer, Höhe Haus Nummer 12, 22587 Hamburg | **Anfahrt** Bus 488, Haltestelle Falkentaler Weg | **Tipp** Bei Ebbe taucht weiter rechts das Gerippe des hölzernen Viermasters Polstjernan auf. 1926 hat man den brennenden Frachtensegler aus dem Nord-Ostsee-Kanal gezogen. Sein Rumpf, beschwert mit Steinen und Schrott, ist jetzt Wellenbrecher.

19 Die Villa Michaelsen

Drama um das Bauhaus-Schmuckstück

Axel Cäsar Springer wollte das architektonische Juwel plattmachen lassen. Die Abrissgenehmigung besaß er schon für das Landhaus am Falkenstein, das er Ite Michaelsen abgekauft hatte. Aber die Erlaubnis war auf ein Jahr befristet, der Zeitungsverleger verbummelte den Termin. Schließlich ließ er die weiße Villa einfach leer stehen. Springer hatte sich einer anderen Immobilie gewidmet. 1980 überließ er der Stadt das Landhaus und das 28.000 Quadratmeter große Grundstück mit der Auflage, das Anwesen solle Sven-Simon-Park heißen. Sven Simon war das Pseudonym seines Sohnes, international gefeierter Fotograf, Anfang des Jahres hatte er sich umgebracht. Zu den Bedingungen der »Schenkung« gehörte auch, dass Springer für die Dauer von zehn Jahren jährlich eine Spendenquittung über 560.000 Mark fürs Finanzamt bekam. Ab sofort war die Stadt zuständig für die Villa. Die verfiel immer mehr. Man vernagelte die Fenster.

Der Architekt Karl Schneider hatte die Villa 1923 gebaut. Sie gilt als vom Bauhaus beeinflusstes Pionierwerk. Schneider hatte bei Walter Gropius gelernt und mit Fritz Höger zusammengearbeitet, der im Kontorhausviertel das Chilehaus errichtet hat, Bauikone des Expressionismus. Schneider entwarf einen rechtwinkligen Flügelbau mit kubischen Grundformen und Turm, mit gebogenen Panoramascheiben, damals eine Sensation. Das Haus auf der Geestkante wurde weltweit beachtet, von den Nazis als »entartet« verfemt.

1985 entdeckt die Galeristin Elke Dröscher die Bauruine, die zur Baustelle ihres Lebens wird. Sie kann mit der Stadt einen Nutzungsvertrag über 75 Jahre abschließen, dafür übernimmt sie die hohen Kosten der Sanierung und den Unterhalt. Im Landhaus, jetzt unter Denkmalschutz gestellt, kann sie ihre Puppensammlung aus drei Jahrhunderten unterbringen. Sie dokumentiert, dass Puppenstuben und Kaufmannsläden immer auch bürgerliche Erziehungsinstrumente waren.

Adresse Grotiusweg 79, 22587 Hamburg, Tel. 040/810582 | Hochbahn Bus 189, Haltestelle Tinsdaler Kirchenweg; Bus 286, Haltestelle Grotiusweg Mitte | Öffnungszeiten Di–So 11–17 Uhr | Tipp Nur 350 Meter sind es bis zum Luusbarg (Hinweisschild). Der Senat hat diesen Park der Bankiersfamilie Münchmeyer abgekauft. Großartiger Blick über die Elbe.

20 Die Einflugschneise

Schiff voraus!

Viele Flugbewegungen sind es nicht am Airbus-Flughafen. Mal 15, mal 30. Über den Tag verteilt. Die Beluga-Flugwale bringen aus Toulouse Cockpit- und Kabinenelemente. Auf dem Rückweg nehmen sie vorgefertigte Flügel mit. Die Flieger der spanischen Gesellschaft Volotea stellen als Dienstleister den Werksflugverkehr für die Ingenieure zwischen den Airbus-Standorten sicher. Hinzu kommen Auslieferungsflüge an die Kunden sowie Test- und Abnahmeflüge, die sogenannten First Flights. Dabei werden auch Notaggregate überprüft, darunter die Stauluftturbine. Bei einem Triebwerksausfall erzeugt sie Strom für die Hydraulik, um sicher landen zu können. Wirft der Pilot diese Notturbine an, heult ein sirenenartiger Ton auf. Unangenehmer Fluglärm. Das führt immer wieder zu Protest.

Meist steuern die Jets Runway 23 aus Nordosten an. Über den Wohngebieten Bahrenfeld, Groß Flottbek und Othmarschen sind die Maschinen schon sehr tief. Unmittelbar am Südufer der Elbe beginnt die Landebahn. Eine Herausforderung für die Piloten. Und für die Frauen und Männer der Flugsicherung im Tower. Sie haben auch das Schiffsradar vor sich.

Die Brücke eines Container-Riesen ist bis zu 70 Meter hoch. Direkt über der Elbe haben die Airbusse noch eine Höhe von 150 Metern. Man kann ziemlich genau vorausberechnen, wann die Schiffe den Runway passieren. Aber doch nicht auf die Minute genau. Wenn in diesem Augenblick Schiffsroute und Flugroute sich kreuzen, besteht höchste Gefahr. Der Abstand ist zu gering. Schleppwirbel der Airbus-Triebwerke können den Schiffen zusätzlich gefährlich werden. »Go around!«, heißt das Kommando. Sofortiger Abbruch des Landeanflugs und voller Schub für die Turbinen. Steiler Anstieg in den Himmel. Platzrunde. Der Landeanflug beginnt erneut. Aufregende Sekunden! Für die Piloten. Die Flugsicherer. Den Schiffskapitän und den Lotsen. Aber doch ist es Routine.

Adresse Ende des Rüschwegs, 21129 Hamburg | **Hochbahn** Bus 146, Haltestelle Rüschpark; Bus 150, Haltestelle Nordmeerstraße; Fähre 64, Anleger Rüschpark | **Tipp** Bus 150 hält auch am Neßdeich. Airbus hat hier einen Aussichtshügel aufgeschüttet. Man hat guten Blick auf die Start- und Landebahn sowie die Garagen, in denen die Beluga-Transporter einparken.

21 Der Lindenlaubengang

»Herzlichen Unfug treiben dürfen«

Jeder kann sich an einem Garten erfreuen. Wer keinen eigenen hat, aber wenigstens einen Balkon, gießt Rauke und Tomaten, die dort in Töpfen gedeihen. Urban Gardening ist der Begriff der Neuzeit. Er meint die kleinräumige gärtnerische Nutzung auch städtischer Brache. Ein Guerilla Gardener ist, wer die Samen heimlich auf öffentlichen Flächen ausstreut und das gerne als zivilen Ungehorsam interpretiert wissen möchte. Vor über hundert Jahren schon war Leberecht Migge Verfechter solch urbanen Gärtnerns. Als Reaktion auf Arbeitslosigkeit und Nahrungsnot nach dem Ersten Weltkrieg forderte er für Siedlungen »Gärten in Massen«. Zur Selbstversorgung und weil auch ein kleiner Garten als »erweiterter Wohnraum« diene.

Leberecht Migge (1881–1935) war Sozialreformer und international beachteter Gartenarchitekt. Auch öffentliche Grünanlagen sollten vor allem nutzbar sein, erst an zweiter Stelle ästhetisch geglückt. Für den Hamburger Gartenbaubetrieb Jacob Ochs arbeitete Migge als künstlerischer Direktor mit Avantgarde-Architekten wie Hermann Muthesius zusammen. In dieser Zeit ist der »Öffentliche Garten Fuhlsbüttel« entstanden. Er heißt heute »Wacholderpark«, weil er am Wacholderweg liegt. Den Park entwarf Migge als »Spielpark, der erste Deutschlands sogar«.

Eine sonnige Wiese ist der Mittelpunkt. »Auf ihr sollen sich die Alten lagern, die Jungen Sport, Spiel und herzlichen Unfug treiben dürfen«, schrieb Migge. Trampelpfade waren erlaubt. Im Südosten und Südwesten ist die Wiese von einem Lindenlaubengang begrenzt, »dessen lichtes Laubdach kühlen Schatten spendet, während seine arkadenartig geöffneten Seiten freien Ausblick erlauben«. Im Norden ließ der Gartenkünstler Rotahorn- und Birkenhaine pflanzen, dazwischen einen Spielplatz anlegen, »wohlausgestattet«. Den alten Stauden- und Sommerblumengarten gibt es heute nicht mehr. Aber das Gartendenkmal wird sehr gepflegt.

Adresse zwischen Bergkoppelweg und Wacholderweg, 22335 Hamburg | Hochbahn U 1, Bus 118, 174, Haltestelle Fuhlsbüttel | Tipp Der rot geklinkerte U-Bahnhof Fuhlsbüttel (vis-à-vis am Kleekamp) ist zehn Jahre älter als der Wacholderpark und schon über hundert. Hamburgs U-Bahn ist nach der in Berlin die zweitälteste Deutschlands.

22 Das Moor in der Stadt

Paradies für Flattermänner

Man könnte meinen, Noah habe seine Arche direkt neben der Alsterkrugchaussee geparkt. Zumindest die Abteilung seines hölzernen Kastens, mit dem er im göttlichen Auftrag auch die Flattermänner der Erde vor der Sintflut retten sollte. Im Eppendorfer Moor kann man den Eisvogel sehen. Grauschnäpper, Mönchsgrasmücken, Zaunkönige, insgesamt 35 Brutvogelarten. Fledermäuse. Viele Libellen. Lepidopterologen haben unglaubliche 641 Schmetterlingsarten gezählt, 78 sind in der Roten Liste der gefährdeten Falter verzeichnet.

Das Moor liegt zwischen dem Flughafen und dem mehrspurigen Zubringer dorthin, es gehört gar nicht zu Eppendorf, grenzt nur daran. Man erreicht es von der Straße Klotzenmoor, dann den Wegen Rathbusch oder Nummer 173 folgen. Oder an der Ecke Alsterkrugchaussee / Borsteler Chaussee starten. Laut ist es hier. Autos jagen sich. Aber mit jedem Schritt ins Naturschutzgebiet wird es stiller. Gewundene Wege führen immer tiefer in den lang gestreckten Birken-Stieleichen-Erlenbruchwald. Bald ist der Lärm nur noch Hintergrundrauschen, das man gern überhört. Im Moor wachsen Sumpf-Blutauge, Straußblütiger Gilbweiderich, Wasserfeder und Lungenenzian. Anfang des vergangenen Jahrhunderts wurde Torf abgebaut. Nach Kriegsende sollte das Areal mit Trümmerschutt aufgefüllt werden. Vielleicht hat Noah geholfen, dass das nicht passierte. Vor 40 Jahren entschied man, das fast eingetrocknete Naturparadies zu renaturieren.

Das Eppendorfer Moor ist das kleinste Hamburger Naturschutzgebiet und das größte innerstädtische Moor Mitteleuropas. Der Moorsee ist der Mittelpunkt des Biotops. Vierstufige Podeste verschaffen einen besseren Überblick über den Schilfgürtel hinaus. Auf klares Wasser, in dem sich das Spektakel des Himmels abbildet. Den Klimawandel kann man auch hier erleben. Zuletzt ist der See zweimal trockengefallen. Orchideen, die früher hier wuchsen, findet man nicht mehr.

Adresse Klotzenmoor, 22453 Hamburg | Hochbahn Bus 114, Haltestelle Rosenbrook; Bus 214, Haltestelle Klotzenmoor Mitte | Tipp Südlich liegt zwischen Salomon-Heine-Weg und Erikastraße der Eppendorfer Mühlenteich. Die Alsterschwäne überwintern hier in einem eingezäunten Bereich. Kranke Wasservögel pflegt der Schwanenvater gesund.

23 Die Waitze

Helfen Vollpfosten gegen den Fluch?

Hamburg hat Straßen mit wundersamen Namen. Den Schlump im Stadtteil Eimsbüttel oder die Rutschbahn in Rotherbaum. Berühmt sind die Herbertstraße, die Reeperbahn und der jetzt autofreie Jungfernstieg. Berüchtigt ist die Waitzstraße, die sie im Viertel Waitze nennen. Eigentlich ist sie eine beschauliche Einkaufsmeile, verkehrsberuhigt und mit Granitbänken möbliert. Man findet noch von Inhabern geführte Geschäfte, einen Biomarkt, Lokale und Bistros für jeden Geschmack. 44 Ärzte haben hier ihre Praxen. Passt eigentlich alles in der Waitze, sollte man meinen. Aber auf der Waitze liegt ein Fluch.

Immer wieder die Waitze! Die Straße ist Schauplatz einer wahnwitzigen Unfallserie. In den vergangenen Jahren sind auf kurzer Strecke zwei Dutzend Mal Autos in die Schaufenster oder gegen die Fassaden der Geschäfte gekracht. Weil die Fahrzeuglenker beim Ein- und Ausparken davor nicht richtig mit Gas- und Bremspedal oder der Schaltung umzugehen wussten. Ein Mercedes ist in der Weinhandlung gelandet, ein BMW in der Reinigung, ein Golf im Brillengeschäft. Man hat versucht, sich mit Barrieren vor den schrägen Parkboxen zu sichern, das hat nichts genutzt. Ein 83-Jähriger stand mit seinem Mercedes im Blumenladen. Ein 81-Jähriger mit Toyota im Eingang der HNO-Praxis. Eine gleichaltrige Seniorin fand sich mit ihrem VW Polo in der Auslage des Juweliers wieder. Schon dreimal hat es den Salon der Friseurkette von Marlies Möller erwischt.

Nirgendwo sonst in Deutschland passieren so viele sogenannte Schaufensterunfälle. Die Häufung erklärt das Bezirksamt »mutmaßlich durch die örtliche Klientel und eine hohe Dichte von Arztpraxen«. Zuletzt hat man noch einmal aufgerüstet. Vor den Parkboxen wurden mittig Vollstahlpfosten mit 600 Kilo schwerem Fundament verbaut. Sie sollen bis zu zwei Tonnen schwere Autos bei Tempo 10 aufhalten können. Die Dinger werden sonst zur Terrorabwehr eingesetzt. Es kracht aber weiterhin.

Adresse Waitzstraße, 22607 Hamburg | Hochbahn S 1, Bus 1, Haltestelle Othmarschen; Bus 16, Haltestelle Flottbeker Kirche | Tipp Hat einen eigenen Parkplatz: Der Groß Flottbeker Tennis-, Hockey- und Golf-Club ist nur ein paar Gehminuten entfernt. Der Club hat den kleinsten Golfplatz Deutschlands (sechs Greens) – liegt aber mitten in der Stadt (von der Waitzstraße durch die Alexander-Zinn-Straße bis zur Otto-Ernst-Straße 32).

24__Die Bohne

»Ei! Wie schmeckt der Coffee süße!«

Die Rohkaffeehändler galten unter den Kaufleuten immer als Best-of-Männerbund. Die Historikerin Dorothee Wieling beschreibt sie als »exklusive Gruppe mit ausgeprägtem Standesbewusstsein«. Ein Kaffee-Agent nannte die Riege »eine exquisite Elite, die höchste Steigerung unternehmerischen Hamburger Esprits«. Die Handelshäuser waren oft patriarchalisch geführte Familienimperien. Über viele Generationen galt, dass nur ein Sohn Nachfolger im Chefsessel werden durfte. War kein Sohn vorhanden, wurde einer adoptiert. Richtig ist auch: Ohne die Kaffee-Importeure wäre der Hafen nicht das geworden, was er ist. Auch die Speicherstadt gäbe es in dieser Größe nicht.

Auf den obersten Böden der Lager hockten an langen Tischen Hunderte schlecht bezahlte »Miedjes«. Sie suchten in der ausgeschütteten Ware nach »Stinkern«, nach Bohnen, die zu gären begonnen hatten. Otto von Bismarck nannte die Verleserinnen beim Hafenbesuch »die Aschenbrödel des Kaffeehandels«. Hamburg ist heute Europas größter Kaffee-Umschlagplatz. In Jutesäcken kommen nur noch Spezialitäten. Die Masse wird als Schüttgut in Containern geliefert. Darboven und Tchibo sind an der Elbe zu Hause. Die Neumann-Kaffee-Gruppe hat hier ihren Sitz. Sie ist der weltweit führende Rohkaffeedienstleister für Import und Export mit eigenen Plantagen.

Wo früher am Sandtorkai der weltweit erste Rohkaffeesilo stand, erhebt sich heute ein Ellipsenturm, Zentrale des Unternehmens. Davor hat die Bildhauerin Lotte Ranft eine fünf Meter hohe bronzene Kaffeebohne aufgestellt. Viel Wissenswertes ist darauf nachzulesen. Man erfährt, dass die drei Milliarden Tassen Kaffee, welche die Menschen täglich trinken, die Existenz von 25 Millionen Familien sichern. Aus der Kaffeekantate von Johann Sebastian Bach wird zitiert: »Ei! Wie schmeckt der Coffee süße / Lieblicher als tausend Küsse / Milder als Muskatenwein / Ach, so schenkt mir Coffee ein!«

Adresse Coffee Plaza/Am Sandtorpark 4, 20457 Hamburg | **Hochbahn** U 4, Haltestelle Überseequartier; Bus 2, 6, Haltestelle Singapurstraße; Bus 111, Haltestelle Magellan Terrassen | **Tipp** Kaffee wird rot geerntet. Wie wird die Bohne eigentlich braun? Im Kaffeemuseum Burg erfährt man alles über die Primadonna der Nutzpflanzen (St. Annenufer 2, geöffnet Di–So 10–18 Uhr).

25 Der Elbtower

Bauruine oder Hamburgs neuer Fernseh-Turm?

Baustellen sind spannende Orte. Diese wird für die nächsten Jahre die aufregendste sein. Wer über die Elbbrücken nach Hamburg fährt, verdreht den Kopf nach dem, was sich dort nach oben schraubt. Der Elbtower soll sich 245 Meter in den Himmel strecken. Bei Schietwedder auch in die Wolken. Kein Haus der Stadt erreicht diese Höhe. Die Mundsburg-Türme schaffen 101 Meter, das Radisson Blu Hotel 108, die Elbphilharmonie 110. Selbst der Telemichel, der Heinrich-Hertz-Fernsehturm, ist nur geringfügig höher. Mit Antenne. Der Elbtower – wenn er wächst wie geplant – soll nach dem Commerzbank Tower und dem Messeturm in Frankfurt am Main Deutschlands dritthöchstes bewohnbares Gebäude werden.

Der XXL-Wolkenkratzer ist der kühne Entwurf des Londoner Büros David Chipperfield Architects. Er markiert das östliche Ende der HafenCity. Ein selbstbewusstes Statement der Boomtown. Der Oberbaudirektor schwärmt: »Das Gebäude zeigt Gesicht, ist zu allen Seiten anders proportioniert. Der Elbtower wird die Stadtsilhouette verändern und bereichern. Aber er geht auch respektvoll mit ihr um, weil er Abstand zur historischen Innenstadt hat.« 75 Meter tief reichen die Fundamente. Über dem Sockel entwickeln sich zurückgestaffelte Geschosse, bevor der Elbtower schlank und gewunden in die Höhe steigt. In 30 Sekunden soll ein Lift Besucher gegen Eintritt auf eine verglaste Plattform in 220 Meter Höhe schaufeln.

Bis Ende 2023 ist man hundert Meter über dem Boden angekommen. Dann stellt der Baukonzern seine Arbeiten ein, weil der Bauherr, die Signa-Gruppe des Pleite-Unternehmers René Benko, mit Zahlungen in Verzug ist. »Bauruine Elbtower?«, fragt das Abendblatt. Stillstand bis 2025. Als neuer Großinvestor ist zuletzt der Immobilienunternehmer Dieter Becken im Gespräch. Wenn es weitergeht, will er das 950-Millionen-Prestigeobjekt bis 2028 fertigstellen. Ja wenn! Ob es bei den Kosten bleibt?

Adresse Zweibrückenstraße, 20539 Hamburg | Hochbahn U 4, S 3, S 31, Bus 256, 856, Haltestelle Elbbrücken; Bus 154, Haltestelle Zweibrückenstraße | Tipp Auf der anderen Seite der U-Bahnstation hat man Roots gezimmert, mit 19 Etagen Deutschlands höchstes Holzhaus. Der Quadratmeterpreis der Eigentumswohnungen: 10.000 Euro. 53 Mietwohnungen in einem Anbau sind öffentlich gefördert (Lucy-Borchardt-Straße 4).

26 Die Fuge

Kein Ausweg auf dem Weg ins Gas

Bernhard Aronsohn war Arzt in Lübtheen in der Nähe von Rostock. Als ihm mit den Juden-Pogromen 1938 verboten wird, seinen Beruf auszuüben, zieht er nach Hamburg. Erst wohnt er an der Lenhartzstraße. Im März 1942 muss er mit seiner Frau Ida in ein »Judenhaus« an der Kielortallee wechseln. Dort wird ihm Anfang Juli der »Evakuierungsbefehl« zugestellt: »Der Abtransport wird umgehend durchgeführt. Ihr Vermögen gilt als beschlagnahmt.« Einen Koffer darf Bernhard Aronsohn packen, »mit derben Arbeitsstiefeln, 2 Paar Socken, 2 Hemden, 2 Unterhosen, 1 Pullover, 2 Wolldecken, 1 Eßnapf, 1 Trinkbecher, 1 Löffel. Verboten ist die Mitnahme von Wertsachen jeder Art aus Gold, Silber, Platin mit Ausnahme des Eherings«. Am 11. Juli 1942 steigen der Mediziner und seine Frau am Hannoverschen Bahnhof in den Zug. Sie werden nach Auschwitz deportiert, bald nach der Ankunft in der Gaskammer ermordet. In einer Vitrine im Museum Auschwitz kann man Aronsohns Koffer sehen.

Der Hannoversche Bahnhof, Kopfbahnhof, war bis zur Eröffnung des Hauptbahnhofs zentraler Anlaufpunkt für alle Züge aus dem Süden. Ab 1906 rollte nur noch Güterverkehr. Der Bahnhof lag abseits der Kernstadt, aber was zwischen 1940 und 1945 hier passierte, war keine geheime Sache. Das blieb der Öffentlichkeit nicht verborgen. 8.000 Jüdinnen und Juden, Sintize und Sinti, Romnja und Roma wurden von hier aus in die Vernichtungslager deportiert. Nach Belzec, Lodz, Minsk, Riga, Auschwitz, Theresienstadt.

Vom alten Bahnhofsvorplatz führt ein Hohlweg, Fuge genannt, zu einem Relikt des Bahnsteigs 2. Den Weg entlang eines Schotterbetts säumen hohe Wände aus Beton. Bedrückendes Symbol dafür, dass es keinen Ausweg gab. Am Bahnsteig 2 kletterten Ida und Bernhard Aronsohn in den Zug ins Gas. Auch Eduard Weinberg hätte am 11. Juli hier einsteigen sollen. Er hat sich zuvor umgebracht. 2026 will man ein Dokumentationszentrum eröffnen.

Adresse Lohseplatz, 20457 Hamburg | Hochbahn U 1, Haltestelle Meßberg; U 4, Haltestelle HafenCity/Universität; Bus 2, 6, Haltestelle Singapurstraße | Öffnungszeiten Mahnmal: ganzjährig rund um die Uhr, Info-Pavillon: April–Okt. täglich 12–18 Uhr, Führung am letzten Mi im Monat 18 Uhr | Tipp Die Fuge ist integriert in den Lohsepark, zentrale Grünfläche der HafenCity. Treffpunkt, Spielort, Erholungsort. Benannt nach Hermann Lohse, der die Elbbrücken konstruiert hat.

27__Das Hafenkran-Hotel

Im Bett mit der Elphi

Für besondere Momente spielt auch die Wahl des Ortes eine Rolle. Dieser hat seine eigene Magie. Dass niemand sonst in der Bald-zwei-Millionen-Metropole an einem vergleichbaren Platz ist, dessen kann man sich hier sicher sein. Champagner prickelt im Glas. Man hört das Elbwasser, das gegen Kaimauern klatscht. Das Doppelbett, mit Seide bezogen, schaukelt auf den Wellen. Von hier aus schaut man durchs Panoramafenster auf die Elbphilharmonie, die auch nachts silbern glänzt. Wer jetzt noch mit zwei Karten für Händels »Wassermusik« im Großen Saal überraschen kann, ist Kaiser oder Kaiserin der Nacht.

Das Hotel Greif ist Hamburgs kleinstes. Es hat nur ein einziges Zimmer auf zwei Ebenen. Tim Wittenbecher und Marc Nagel haben schon Leuchttürme in Dagebüll, auf Usedom, auf La Palma und einen Wasserturm am Scharmützelsee in Hideaways verwandelt, in versteckte Romantikquartiere. Die Suite im Hafenkran ist ihr ungewöhnlichstes Projekt. Der Kran, als Schwimmkran Greif in den 1940er Jahren gebaut, steht auf einem Ponton im Sandtorhafen, zwischen Traditionsschiffen vertäut. Von außen sieht das Floatel, das schwimmende Micro-Hotel, einfach nur aus wie ein alter Kran. Drinnen erwartet den Gast eine Kombination aus Luxus, Industriecharme und Abenteuer. Unten, wo Platz für die Motoren war, leuchten die Wände in den Farben tropischer Gewässer. Aus alten Bootsplanken hat man einen Tresen mit Waschbecken und Kaffeemaschine gebaut, ein Kamin mit illuminierter Südseemaske ist Blickfang. Im hinteren Bereich versteckt sich ein Mini-Spa mit Regendusche. Eine steile Eisenstiege führt hoch zum Doppelbett, die verglaste Kabine davor, das Reich des Kranführers, ist jetzt Logenplatz. Die Schalthebel hat man erhalten.

Morgens stellt die »Kranperle« einen Korb mit Brötchen, Croissants, Ei, Lachs, Müsli und Obstsalat auf die Terrasse. Für das beste Frühstück. Mit bester Aussicht. Nach der »Wassermusik«.

Adresse Sandtorhafen / Sandtorkai 68, Ponton 2, 20457 Hamburg, Tel. 030/81864591 | Hochbahn U 3, Haltestelle Baumwall; Bus 111, Haltestellen Am Kaiserkai und Magellan Terrassen | Öffnungszeiten Buchungen unter www.floatel.de | Tipp Gruselige Masken, Galionsfiguren: Harrys Hafenbasar im Bauch des Pontons ist ein Kuriositätenkabinett. Vieles kann man kaufen (geöffnet Sa, So 10 – 15 Uhr).

28 Die Hanseatische Materialverwaltung

Warenhaus kreativer Wiederverwertung

Der Bug eines Schiffes. Ein gerupftes Huhn. Im Goldrahmen Walter Ulbricht, der die Berliner Mauer bauen ließ. Die kleine Lok daneben hat mit Jim Knopf und Lukas auf Lummerland ihre Runden gedreht. Ein grimmiger grüner Drache. Ein Kinderwagen aus den 1960er Jahren. Viele Möbel. Vorhänge. Künstliche Edamer-Laibe. Buchattrappen. Lampen. Kirchenbänke. Alles da! Die Hanseatische Materialverwaltung ist eine märchenhafte Wundertüte. Ein Sammelsurium ausrangierter Theaterkulissen und Filmrequisiten. Ein Fundus für alle. Und eines der spannendsten Kulturprojekte der Stadt.

Die Idee: Nach jedem Filmdreh, jeder Theaterinszenierung, die vom Spielplan genommen wird, und jedem Messe-Event werden Berge von Utensilien und Materialien als Müll entsorgt. Das kostet Geld und schadet der Umwelt. Gleichzeitig gibt es genau an diesen Dingen einen großen Bedarf. Für Bühnenbilder an Kindergärten, Schulen und Studierenden-Theatern. Für temporäre Architekturen. Für Schaufensterdekorationen oder als private Wohnzimmerdeko. Die Materialverwaltung sammelt die aussortierten Requisiten in zwei großen Hallen. Sie verleiht oder verkauft Teile des Fundus, durch den neue Ideen realisiert werden können. Abgerechnet wird in drei Kategorien. Abhängig davon, ob ein Projekt als gemeinnützig, bedingt förderungswürdig oder kommerziell eingestuft wird. Das »Material for the Arts« in New York hat ein vergleichbares Konzept. Die Materialverwaltung ist in Europa einzigartig.

Im Warenhaus der kreativen Wiederverwertung sind die Hochregale bis unters Dach gefüllt. Der Suppenteller mit sechs Metern Durchmesser war Blickfang im Ohnsorg-Theater. Die Sänfte hat man durchs Thalia-Theater geschleppt. Das Gotik-Triptychon stand im Schauspielhaus. Viel Kulissenzauber kommt von der AIDA-Kussmund-Flotte.

Adresse Stockmeyerstraße 41–43, 20457 Hamburg, Tel. 0172/4330055 | Hochbahn U 1, Haltestelle Steinstraße; Bus 2, Haltestelle Ericusspitze | Öffnungszeiten variabel, Infos unter www.hanseatische-materialverwaltung.de | Tipp Die Hobenköök (Hafenküche) nebenan ist Markthalle und angesagtes Restaurant. Regionales und Saisonales wird verkauft und gekocht (geöffnet Markthalle: Mo 12–23 Uhr, Di–Sa 9–23 Uhr, Restaurant: Mo ab 17.30 Uhr, Di–Sa 9–23 Uhr).

29 Der Himmelsberg

Erst die Menschen, dann die Rendite

Das Grün kommt sonst immer zuletzt. Diesmal war es Erster. Bevor auch nur ein Grundstein gelegt wurde in der Ödnis der Freiflächen am Baakenhafen, haben die Planer einen Park angelegt. Sie haben im alten Hafenbecken, mit einem Kilometer das längste der HafenCity, an dem einst viele Kräne und Schuppen standen, eine Halbinsel aufgeschüttet. Darauf das Grün mit drei Plateaus angelegt. Mit Inselweg, der rund um den Park führt. Mit Inselbalkon, einer großen Holztribüne am Ufer mit Blick auf die Elbphilharmonie. Mit Himmelsschaukeln, Spielplatz, Kleinfußballplatz, Bocciabahnen, Sprintstrecke. Mit Hügeln, Anhöhen, Senken und Abhängen als Kontrast zu gradlinigen Kaimauern. Eine Oase inmitten von nichts.

Der Baakenpark ist ein Versprechen für die Zukunft. Erst sollten die Menschen kommen. Und sie kamen. Dann hat man begonnen, zu bauen. Das Reißbrettprojekt Quartier Baakenhafen ist die Weiterentwicklung der HafenCity. Klötzchenarchitektur auch hier. Aber wenigstens mit lebhaften Fassaden. Und mit einem differenzierten Konzept. Luxuswohnungen, das auch. Aber zum großen Teil geförderter Wohnraum, gemeinnützige Wohnprojekte. Marktplatz, Schule und Kindergarten. Den westlichen Teil der HafenCity hat man für die hochgezogen, die keine Mietobergrenze kennen. Hier baut man für die Bürger der Stadt.

Für Deichbezwinger ist es nicht einfach, einen Hügel aufzuschütten, der höher ist. Im Baakenpark hat man es geschafft. An seinem östlichen Ende führen 40 Stufen auf den Gipfel des sogenannten Himmelsberges. Ein begrünter Sandhaufen, als Pyramide angelegt. Damit der Sand nicht ausschwemmt, schützt ihn ein Vlies. Den Mutterboden und den Rasen darüber sichern Stahlgitter. Oben laden unter Bäumen Holzbänke ein. Man schaut auf die Silhouette der Stadt, die dem Park immer näher rückt. Eine Fußgängerbrücke verbindet den Peterskai mit dem nördlichen Ufer des Hafenbeckens am Versmannskai.

Adresse Baakenallee, 20457 Hamburg | Hochbahn U 4, Haltestellen HafenCity Universität und Elbbrücken; Bus 111, Haltestelle Baakenhöft | Tipp Der View Point ist ein beweglicher Aussichtsturm. Immer, wenn es weitergeht in der HafenCity, wird er zur nächsten Baustelle verschoben. Bis zur Plattform sind es 60 Stufen (Ecke Baakenallee / Grandeswerder Straße, geöffnet Mo – So 8 – 20 Uhr).

30 Die Leuchtcontainer

Untergrundkonzert und Lightshow

Das ist Verdi. Vorher war Brahms zu hören. Am Anfang haben sie Bach gespielt. Dabei leuchtet der U-Bahnhof in perfekter Harmonie mit den Kompositionen in unterschiedlichsten Farben. Mal rot, dann pink, jetzt grün, blau oder orange. Zwölf Leuchtkörper verbreiten das Zauberlicht. Mal flammt es im Rhythmus hell auf und erlischt, mal läuft es schnell oder langsam durch die Lampen. Man will gar nicht einsteigen in den Zug. Das Licht- und Klangspektakel ist ein Erlebnis mit Tiefgang für alle Sinne.

Die Untergrundkonzerte mit Lightshow werden an den Wochenenden inszeniert. Aber auch sonst wechseln die Farben. Sie sollen sich verändernde Lichtstimmungen im Außenraum je nach Tageszeit, Jahreszeit und Wetter interpretieren. Die Leuchten mit halbtransparentem Glas sind wie Container aufgehängt, die ein Hafenkran verlädt. Und sie haben genau die Maße einer solchen Standardbox. Nach unten strahlt weißes Licht, um den Mittelbahnsteig zu erhellen. Zur Seite spielen in jeder Containerlampe 280 Leuchtdioden mit den Farben. Diese werden von blanken Stahlplatten an den Wänden und der Decke der Bahnsteighalle reflektiert. Die Wandverkleidung könnte ein Schiffsrumpf sein. Architekten, Lichtplaner und Industriedesigner haben das Bau- und Kunstwerk gemeinsam entwickelt. Es hat sofort den Preis für Excellence in Lighting Design abgeräumt. Ein Reiseportal hat den unterirdischen Konzertsaal als viertschönste U-Bahn-Station der Welt ausgezeichnet.

Nächster Halt und vorläufige Endstation der U 4 Richtung Süden ist eine oberirdische Glasröhre bei den Elbbrücken. Von dort soll es über die Norderelbe bis zum Grasbrook gehen. Der Standort war für Olympia 2024 oder 2028 vorgesehen, aber die Hamburger haben abgestimmt. Die Mehrheit hat die Spiele nicht gewollt. Jetzt entsteht hier ein autoarmes Quartier mit 3.000 Wohnungen und 16.000 Arbeitsplätzen. Die U-Bahn-Station soll 16 Meter über dem Becken des Moldauhafens liegen.

Adresse Ecke Grandeswerder Straße/Versmannstraße, 20457 Hamburg | Hochbahn U 4, Bus 111, Haltestelle HafenCity Universität | Öffnungszeiten Lichtshow mit Musik Sa, So 11–17 Uhr zur vollen Stunde | Tipp Für eine Hochschule, die Architektur und Stadtplanung lehrt, kann es keinen besseren Standort geben: Die HafenCity Universität mit eigener Uferpromenade liegt mitten in der größten innerstädtischen Baustelle Europas (Henning-Voscherau-Platz 1).

31 Die Oberhafen-Kantine

Eine schräge Sache

Wer vom Vorplatz auf das Backsteinhäuschen mit den spitzwinkligen Fenstern schaut, erkennt die Schieflage nicht sofort. Der Blick von der Seite haut um. Hoffentlich kippt die Oberhafen-Kantine, bald hundert Jahre alt, nicht gleich nach vorn! Bedenklich schräg klebt das Gebäude unter der Eisenbahnbrücke, die seit ihrer Verbreiterung über das Dach des Erdgeschosses ragt. Täglich rollen 800 Züge darüber. Ingenieure haben den Neigungswinkel des Denkmals vermessen. Um genau 8,7 Grad beugt es sich vor. Ende des vergangenen Jahrhunderts war die schräge Hütte tatsächlich einmal vom Einsturz bedroht, stand über Jahre leer. Bis der Kulturinvestor Klausmartin Kretschmer das Häuschen kaufte, sanieren und stabilisieren ließ. Auch wenn im Gastraum das Kürbissüppchen mit Speck-Chips bedenklich schräg an den Tellerrand schwappt – es ist alles im Lot in der Oberhafen-Kantine.

Sie ist die letzte erhaltene von einmal mehr als 20 sogenannter Kaffeeklappen im Hamburger Hafen. In den kleinen Kantinen stärkten sich die Arbeiter ab morgens um fünf für die Schicht, verdrückten frische Frikadellen, tranken Kaffee, den man von der Küche durch eine Klappe reichte. In seine Schieflage ist das Häuschen, auf der Kaimauer des Oberhafens gebaut, durch viele Sturmfluten geraten. Das Wasser reichte bis zum Tresen. Unvergessen ist Anita Haendel, deren Vater die Kantine baute. Sie war zwölf, als sie 1925 hier als Küchenhilfe anfing. Im Februar 1997 starb sie als Wirtin – tags zuvor hatte sie noch 14 Stunden in ihrer Oberhafen-Kantine geschuftet. Anita Haendel bot bodenständiges Essen, wie man so sagt. Der Kaffee musste immer frisch sein. Auch heute noch gibt's Frikadellen, Labskaus und Hamburger Weißwurst. Aus Fleisch vom Kalb und Schwein und aus Hering gemacht.

Eine Kopie der Oberhafen-Kantine steht in Berlin am Ufer der Spree. Der Hamburger Künstler Thorsten Passfeld hat sie aus Fundholz gezimmert.

Adresse Stockmeyerstraße 39, 20457 Hamburg, Tel. 040/32809984 | Hochbahn U1, Haltestelle Steinstraße; Bus 2, Haltestelle Ericusspitze | Öffnungszeiten Mi–Sa 12–21.30 Uhr | Tipp Man sagt, die Klinker der Oberhafen-Kantine seien »übrig gewesen«, als Kähne das Material für das nahe Chilehaus brachten, damals Hamburgs ehrgeizigstes Bauprojekt (Fischertwiete 2A). Fünf Millionen Ziegel wurden dort verbaut. Die paar für die Oberhafen-Kantine – geschenkt!

32_Das Wasserschloss

Zuckerguss-Zuhause für fleißige Arbeiter

Dass der Hausmeister im Schloss wohnt, ist in den seltensten Fällen vorgekommen. Menschen von Adel oder wenigstens eine Hamburger Kaufmannsmajestät sind hier aber nie zu Hause gewesen. Dornröschens Unterkunft war Schlaf- und Werkstatt der Windenwärter. Derjenigen Männer, die den Betrieb in der Speicherstadt am Laufen hielten. Nur ihnen war es gestattet, dort auch zu wohnen. Dass man ihr Quartier wie ein Schlösschen hat aussehen lassen, hat damit zu tun, dass die Baumeister dem ganzen Viertel üppigen Schmuck von Herrschaftshäusern, Türmchen und Zinnen überstülpten. »Eine effektvolle Verherrlichung Hamburgs wirtschaftlicher Kraft«, meint die Bauhistorikerin Karin Maak.

Die Rohziegelspeicher, größtes Lagerhausensemble der Welt, waren die Hochregale alter Zeit. Unten die Kontore der Handelsfirmen, darüber die Lagerflächen, die sogenannten Böden mit Luken. Hier wurden Gewürze, Tee, Kaffee gestapelt. Jeder Sack, jeder Ballen, jede Kiste musste mit Winden an der Fassade hochgezogen oder herabgelassen werden. Die Winden wurden hydraulisch mit Druckwasser betrieben. Über ein 14 Kilometer langes Leitungsnetz hat man diese Antriebsquelle auf alle Speicher verteilt. Aufgabe der Windenwärter war es, für das störungsfreie Funktionieren dieses Systems zu sorgen.

Bevor die Speicherstadt ab 1883 hochgezogen wurde, hat man 24.000 Menschen aus ihren Wohnungen vertrieben, die Häuser niedergerissen. Das Schloss steht auf einer Halbinsel am Zusammenfluss von Wandrahmsfleet und Holländischbrookfleet. Die Fassade ist mit Schmucksteinen und Glasziegelbändern gestaltet. Bogenfenster, runde Erker und ein Türmchen unterstreichen den Eindruck eines kleinen Palastes. Gastronomie ist eingezogen, im Teekontor helfen Kompositeure bei der Auswahl aus 250 Sorten. Soll's ein »Leichtmatrose« sein? Schmeckt nach sahnigem Karamell. Oder ein »Hamburger Veermaster«? Mit einer Note von Mango und Vanille?

Adresse Dienerreihe 4, 20457 Hamburg, Tel. 040/558982630 (Teekontor) | Hochbahn U 1, Haltestelle Meßberg; Bus 6, Haltestelle Bei St. Annen | Öffnungszeiten Teekontor: Di–So 10–18.30 Uhr | Tipp Khat, eine verbotene Kaudroge aus Afrika, wird schon mal als »grüner Tee« deklariert. Im Zollmuseum ums Eck erfährt man auch viel über originelle Schmuggelverstecke (Alter Wandrahm 16, geöffnet Di–So 10–17 Uhr).

33_Hammerbrooklyn

Die Box, aus der die Zukunft kommt

Das Versprechen ist vollmundig. »Dieser Ort wird ein Leuchtturm nicht nur in Deutschland sein, sondern in Europa und bis in die USA«, begeisterte sich der Wirtschaftssenator. Delegationen aus dem Silicon Valley würden zum Oberhafen pilgern, um von Hamburg als künftiger Innovationsmetropole zu lernen. »Hammerbrooklyn DigitalCampus« heißt das Projekt im Stadtteil Hammerbrook. Kreative, Unternehmen, Wissenschaftler und kluge Köpfe aus der ganzen Welt sollen hier die Zukunft entwickeln. Smart City, Smart Mobility, Shipping & Logistics, E-Health und Ethik sind Clusterthemen. Die Netzwerker Xing, Google, Facebook haben ihren Sitz schon an der Elbe, das passt. »Aber kann man einer Stadt Innovation institutionell verordnen, dem Start-up-Spirit am Reißbrett ein Zuhause bauen?«, fragt das Handelsblatt. »Die Hoffnungen sind riesig, die Pläne luftig.«

Das Herzstück steht. Vor dem alten Fruchthof hat man 2021 den hundert Meter langen Digital-Pavillon hochgezogen. Der New Yorker Architekt James Biber hatte das Bauwerk als US-Beitrag für die Expo 2015 in Mailand entworfen. Handwerker haben den Pavillon in Tausende Einzelteile zerlegt, mehr als 30 Sattelschlepper diese über die Alpen nach Hamburg geschafft. Die Townhall ist eine dreigeschossige Lobby, unter deren Decke zwei Konferenzzimmer hängen. Es gibt eine Vielzahl von Coworking-Areas, unterm Dach Gastronomie. Eine Indoorhaltestelle für selbstfahrende Elektrobusse ist geplant.

Das alles ist nur der Anfang. Auf Nachbargrundstücken sollen bis 2028 fünf sogenannte »Solution Buildings« (Lösungsgebäude) mit weiteren Coworking-Büros entstehen. Partner im Projekt ist der Start-up-Entwickler Factory Berlin. Er gilt als international erfolgreicher Brutkasten für Digitales. »Hamburg begeistert uns«, sagt die Factory, »weil hier enormer Innovationswille herrscht.« Der Inkubator zählt 4.000 Mitglieder in seinem Netzwerk.

Adresse Stadtdeich 2–4, 20097 Hamburg, Tel. 0173/1545280 | Hochbahn U1, Haltestelle Steinstraße; Bus 2, Haltestelle Ericusspitze | Öffnungszeiten unter www.hammerbrooklyn.hamburg | Tipp In Sichtweite Architektur aus zwei Jahrhunderten: links das SPIEGEL-Atrium-Hochhaus (Einzug 2011), ein Entwurf des Kopenhagener Architektenbüros Henning Larsen. Rechts die Deichtorhallen (Eröffnung 1913), einst Marktplatz, heute Ausstellungsräume für zeitgenössische Kunst und Fotografie.

34 Das Zusatzstoffmuseum

Tapetenkleister auf Fischstäbchen? Lecker!

Will ein Lebensmittelkonzern tausend Becher Himbeerjoghurt zu je hundert Gramm produzieren, braucht er Himbeeren. Sollte man meinen. Das frische Obst würde ihn auf dem Großmarkt 31,50 Euro kosten. Himbeeraroma lässt sich aber auch aus Zedernholz gewinnen. Die Sägespäne werden mit Wasser und Alkohol eingekocht. Dafür zahlt der Hersteller 3,75 Euro. Und weil Holz natürlichen Ursprungs ist, darf er das so gewonnene Aroma »natürliches Aroma« nennen. Synthetische Aromen, im Chemiekessel zusammengemixt, dürfen immer noch als »naturidentisch« angegeben werden, wenn die chemische Struktur exakt der natürlicher Aromen entspricht. Das kostet für die tausend Becher nur sechs Cent. Für welche Kostenrechnung wird sich der Hersteller entscheiden?

Verbraucher erwarten, dass ihre Tiefkühl-Lieblingspizza immer gleich lecker schmeckt. Die Lebensmittelindustrie will geringe Kosten. Mit Zusatzstoffen bekommt sie beides hin. Mit Farb- und Verdickungsstoffen. Mit Antioxidantien und Emulgatoren. Mit Konservierungsstoffen und Geschmacksverstärkern. Mehr als 300 Zusatzstoffe sind in Europa zugelassen und mit dem Buchstaben »E« vor einer Ziffer klassifiziert. Verbraucher können damit nichts anfangen. Einer, der alles darüber weiß, ist Christian Niemeyer. Der Biologe leitet das Deutsche Zusatzstoffmuseum, ein Gruselkabinett. Er weiß, dass Pfirsiche mit Schellack (E 904) und Mangos mit Polyethylenwachsoxidaten (E 914) überzogen werden, damit sie frisch und saftig bleiben. Dass die Industrie Methylcellulose (E 461) einsetzt, damit Backwaren knackig sind und am Fischstäbchen die Panade haftet. Der Lebensmittelchemiker Udo Pollmer: »Das Zeug ist als Tapetenkleister eine gute Wahl.«

Auch Feinschmecker aufgepasst! Echter Kaviar aus dem Kaspischen Meer wird mit Borsäure und Borax (E 284 und E 285) haltbar gemacht. Borax wird sonst als Gift gegen Ameisen, Flöhe und Kakerlaken eingesetzt.

Adresse Auf der Brandshofer Schleuse 4/Großmarkt, Tor Nord (Amsinckstraße 67), am Drehkreuz klingeln, man wird abgeholt, 20097 Hamburg, Tel. 040/32027757 | **Anfahrt** S 3, S 31, Haltestelle Hammerbrook, Bus 3, Haltestelle Nagelsweg | **Öffnungszeiten** Mi und Fr–So 11–17 Uhr, Do 14–20 Uhr | **Tipp** Blumen, Obst, Gemüse aus der Region und Übersee – im Großmarkt wird rund um die Uhr Frisches im Wert von jährlich zwei Milliarden Euro umgeschlagen. Führungen sind möglich (zwei Stunden Dauer, Anmeldung unter info@grossmarkt.hamburg.de).

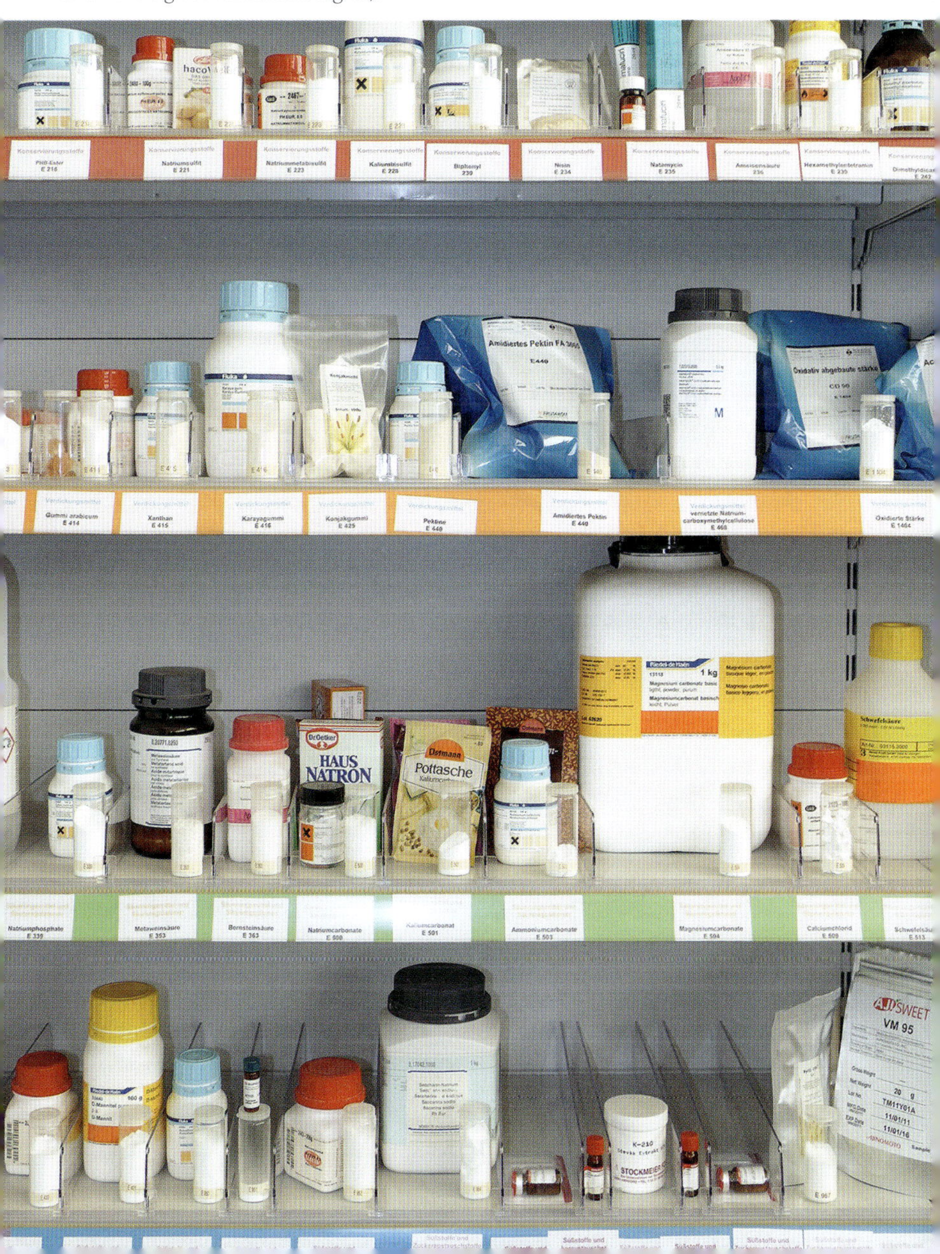

35 Der Kunstpfad

Eine Stunde für die Sinne

Max Schmeling! Auch Jüngere wissen vom Triumph des Boxweltmeisters gegen den als unbesiegbar geltenden »Braunen Bomber« Joe Louis 1936 im Yankee Stadium in New York. Schmeling war noch kein Jahr alt, da zog die Familie nach Hamburg, weil Vater Max einen Job als Steuermann bei einer Reederei bekam. Erst wohnten sie in St. Georg, später in Rothenburgsort, dann zog man in den Stadtteil Eilbek. Dass Max Schmeling je in Harburg gewesen ist, davon ist nichts bekannt. Aber hier haben sie einen Park vor dem Archäologischen Museum nach dem Jahrhundertboxer benannt. Immerhin ist Schmeling (1905–2005) im Landkreis Harburg südlich von Hamburg-Harburg nach der Boxkarriere zu seinem zweiten Höhenflug als Coca-Cola-Generalvertreter für Norddeutschland gestartet, dort ist er gestorben. Zur Trauerfeier im Michel kamen Henry Maske und Wladimir Klitschko, Uwe Seeler und Franz Beckenbauer. Und im Park steht die Skulptur »Faustkämpfer« von Eberhard Encke, Bildhauer im Kaiserreich. Mit Faustkampf der Griechen hat Boxen ja angefangen.

Die Grünfläche mit Krokusinseln und Alkoholverbot ist Teil des Kunstpfades, der sich durch die Harburger Innenstadt zieht. Eine Stunde braucht man. Der Pfad führt vorbei am Rathaus im Renaissancestil und endet am Museumsplatz. Vor dem Rathaus sitzt auf einem Stuhl ein Tuba-Bläser des dänischen Künstlers Arne Ranslet. Beim großen Brunnen streckt sich eine steinerne Robbe. »Aufrechter Gang« heißt eine farbenfrohe Skulptur aus Stahlplatten mit Öffnungen, durch die man nicht aufrecht gehen kann. Vor dem Standesamt am Museumsplatz ist eine »Kugel im Kubus« installiert. 27 Kunstwerke sind auf dem Pfad zu entdecken.

Man läuft fast dran vorbei: »Der pfeifende Junge« ist eine kleine, an einer Hauswand befestigte Plastik (Ecke Asbeckstraße/Wilhelmstraße). Farbgebung von Wand und Skulptur lassen den jungen Mann fast verschwinden. Das macht ihn umso interessanter.

Adresse Ecke Harburger Rathausplatz/Knoopstraße, 21073 Hamburg | Hochbahn S3, S31, Haltestelle Harburg Rathaus; Bus 145, 152, 245, 340, 345, Haltestelle Knoopstraße/Bremer Straße | Tipp Das Helms-Museum ist auch Spielstätte des privaten Harburger Theaters. Man inszeniert Klassiker, Modernes, Musicals. In die Fassade ist das Portal des Rathauses von 1733 eingearbeitet (Museumsplatz 2).

36 Das Nest der Terrorzelle

Wo der Todespilot vom 11. September wohnte

Hier haben sie gebetet. Hier haben sie gelernt. Hier haben sie das Böse geplant. Hinter Isolierglasfenstern in Kunststoffrahmen haben Bin Ladens al-Qaida-Anhänger die Attentate ausgeheckt, die Routen der Flugzeuge studiert. Said Bahaji. Er studierte Elektrotechnik in Harburg. Er gilt als Cheflogistiker der Bande. Er besorgte die Wohnung und Pässe. Ramzi Binalshibh. »Der Bankier« haben sie ihn genannt. Und Mohammed Atta. Eifriger Diplomand der Städteplanung an der Technischen Universität. Der Islamist und Kopf der Hamburger Terrorzelle hat Hochhäuser gehasst. Er steuerte Flug American Airlines 11, die erste Boeing, um 8.46 Uhr in den Nordturm der Twin Tower. Auftakt von Nine-Eleven, der 11. September 2001. Mit 3.000 Toten.

Atta und seine Komplizen beziehen die Wohnung an der Marienstraße im November 1998. Das Haus, ein viergeschossiger Nachkriegsbau, ist blassgelb getüncht. Die Wohnung in der ersten Etage hat 58 Quadratmeter, ist gut geschnitten. Drei quadratische Zimmer, Küche, Bad, heller Flur. Ideal für eine Studenten-WG. Wenn Mohammed Atta seinen Mietanteil an Said Bahaji überweist, schreibt er »Dar el Ansar« auf den Überweisungsträger, es bedeutet »Haus der Unterstützer«. Als Spezialkräfte des Landeskriminalamtes die Wohnung am Abend des 12. September 2001 stürmen, sind die Räume frisch geweißelt, besenrein. Danach sind sie gräulich. Weil die Spurensicherung mit Graphit gearbeitet hat.

Länger als ein Jahr steht die Wohnung leer. Der Makler lässt neuen Laminatboden verlegen. Aber niemand will an dem »deutschen Unort« leben, wie Medien ihn nennen. Erst ein »Space Clearing«, die Installation eines Berliner Künstlers in den Räumen, mit Schattenrissen an den Wänden und Schauspieleinlagen, nimmt der Wohnung ihren Grusel. Neue Mieter ziehen ein. Sie finden drei Briefe im Briefkasten. Adressiert an Mohammed Atta. US-Touristen kommen immer noch, um Fotos zu machen.

Adresse Marienstraße 54, 21073 Hamburg | Hochbahn Bus 14, 143, 146, 443, 543, Haltestelle Eißendorfer Straße | Tipp Der Campus der Technischen Universität liegt nur einen kurzen Fußweg entfernt (Denickestraße / Am Schwarzenberg). Die Institutsgebäude haben lustige Namen: Lindwurm, Baracke, Badewanne, Tortenstück.

37 Der Palmspeicher

Channel Hamburg: Altes und Neues wird eins

Die Männer machen eine Pause. Sie haben am Westlichen Bahnhofskanal Säcke mit Ölsamen von einer Schute gelöscht. Die Hieve, ein Teil der gestapelten Ladung, schwebt über ihren Köpfen, wird nach oben ins Lager gezogen. Der Architekt und Maler Werner Krömeke hat ein Foto der Schauerleute von 1905 als Vorlage genommen und als Schwarz-Weiß-Motiv in Lebensgröße auf die Backsteinfassade des historischen Palmspeichers übertragen. Mit seinen künstlerischen Interventionen an denkmalgeschützten Gebäuden macht er einen verblüffenden Blick in vergangene Lebenswelten möglich. Von der Fußgängerbrücke aus, die den Kanal quert, ist das Fenster in die Geschichte weit geöffnet.

Der Palmspeicher gehörte zum Imperium des Industriellen Friedrich Thörl. Harburg war vor dem Zweiten Weltkrieg Deutschlands Ölmühlenzentrum. Und Thörl ganz dick im Geschäft. Er hatte aus der Quetsche von Vater Johann durch Zukäufe »F. Thörls Vereinigte Harburger Oelfabriken« gemacht. Seine 1.500 »Thörlianer« lobten die sozialen Standards. Der Chef sicherte auch den Kindern Arbeitsplätze zu, 14 Mal im Jahr zahlte er Lohn. Das Unternehmen presste Lein- und Palmkernöl, Soja- und Kokosöl als Ausgangsstoffe für Waschmittel und Margarine. Man hat in Harburg so viele tropische Rohstoffe verarbeitet, dass allein die Palmkerne den gesamten Binnenhafen viele Meter hoch überdecken würden.

Das von Kanälen und Hafenbecken durchzogene Gebiet zwischen der Süderelbe und der City Harburgs ist Teil des Projekts Channel Hamburg, nach der HafenCity das größte zusammenhängende Stadtentwicklungsgebiet. Zwei Drittel so groß wie das Areal an der Norderelbe. Die Neubauten sind nicht so spektakulär wie in der HafenCity, das Marketing ist nicht so laut. Aber auch hier entsteht ein lebendiges Quartier. Historische Bauten und moderne Architektur stehen nicht in Konkurrenz zueinander. Sie bilden einen reizvollen Kontrast.

Adresse Harburger Schloßstraße 22, 21079 Hamburg | Hochbahn Bus 142, Haltestelle Kanalplatz; Bus 154, 157, Haltestelle Harburger Schloßstraße | Tipp Auch der hohe Speicher auf der anderen Seite des Kanals gehörte zum Reich des Friedrich Thörl. Die Architekten haben die Siloröhren erhalten, viel Glas verbaut, Büros auf 14 Etagen errichtet. Der spektakuläre Bau wurde auf der Biennale in Venedig ausgezeichnet (Schellerdamm 16).

38 Das trauernde Kind

Es weint um den Vater, um die Brüder

Die Zeitläufte haben manches bescheuerte Denkmal hervorgebracht. Dieses ist ein besonders abscheuliches. Es ist revanchistisch. Es verherrlicht den Krieg. Vor der Kirche Sankt Johannis marschiert ein fünf Meter großer Bronzesoldat auf einem sechs Meter hohen Sockel. Bildhauer Hermann Hosaeus, Spezialist für Kriegerdenkmäler, muss sich seinen Soldaten im kalten Winter vorgestellt haben. Der Schütze trägt einen dicken Mantel, schwere Stiefel. Das Gewehr hat er über die Schultern gelegt. Der Soldat wurde im Kampf verletzt. Um seinen Kopf ist ein Verband gewickelt. In den Sockel ist gemeißelt: »Den für das Vaterland gefallenen 2.000 Söhnen der Stadt Harburg zur Ehre und zum Gedächtnis. Wunden zum Trotz tatbereit heute wie einst und in aller Zeit. Deutschland für dich.« Schon 1932, als man die Statue für die Opfer des Ersten Weltkriegs im damals noch unabhängigen Harburg aufstellt, gibt es Proteste. Die Figur sei Ausdruck kriegslüsterner Geisteshaltung. Die Zeitschrift Kunst im Dritten Reich preist das Werk hingegen als »heroische Plastik«.

Noch einmal ein halbes Jahrhundert dauert es, bis man dem Monumentalkrieger etwas entgegensetzt. Getragen auch von der Friedensbewegung der 1980er Jahre diskutieren die Harburger sogar, den Soldaten vom Sockel zu stürzen. Letztendlich entscheiden sie, dass er als Zeitzeugnis bleiben darf. Ein »Gegendenkmal« soll seine Aussage konterkarieren. Es soll den Schrecken des Krieges und seine Folgen thematisieren.

Dem Kunstschmied Hendrik-André Schulz gelingt ein Werk von großer Überzeugungskraft und intensiver Emotionalität. Sein »trauerndes Kind« kniet im Schatten des Kriegersockels. Es senkt den Kopf, hat die Hände vors Gesicht geschlagen. Es ist umgeben von neun teils zerschossenen Stahlhelmen gefallener Soldaten verschiedener Nationen. Nur: Das Kind ist kaum mehr als lebensgroß. Es hat es schwer gegen die Wucht des Kriegers.

Adresse Ecke Bremer Straße/Maretstraße, 21073 Hamburg | Hochbahn S3, S31, Haltestelle Harburg Rathaus; Bus 145, 152, 245, 340, 345, Haltestelle Knoopstraße/Bremer Straße | Tipp Einzigartig in Deutschland: die sogenannten Echo-Gräber des Alten Friedhofs auf dem Krummholzberg, der heute Park ist. Reiche Familien ließen in den Terrassenhang reich verzierte Wandgrabanlagen bauen (Zugang Höhe Bremer Straße 21).

39 Das Alstervorland

Chillen vor Villen

Wer ein eigenes Kanu hat, ist im Vorteil. Man kann auch versuchen, eines zu mieten bei den Verleihern rund um die Außenalster oder mit dem Tretboot bis zur Mitte des Alstersees strampeln. Das wollen viele zu Hanami, dem japanischen Kirschblütenfest. Dann, anderthalb Stunden vor Mitternacht am Freitag des Festwochenendes, schauen alle in den Himmel. Feuerwerk lässt ihn funkeln. Das vom Wasser aus zu beobachten, mit Sake an Bord, ist ein nachhaltiges Erlebnis.

Die Himmelshow ist Zeichen des Danks der japanischen Gemeinde für die Gastfreundschaft der Hamburger. 2.000 Japaner leben hier, hundert Firmen haben sich angesiedelt. Die Hafenstadt Osaka ist Städtepartner. Wie sie verwandelt sich Hamburg zum Frühling in ein Blütenmeer in den Farben Weiß-Rosa bis Pink. Viele der Zierkirschen stehen im Alstervorland. Der Blütentraum gibt den Japanern an Alster und Elbe ein Stück Heimat. Hanami heißt »Blüten betrachten«. Das Fest steht für Aufbruch, zarte Schönheit und Vergänglichkeit. Zehn Tage blühen die Bäume. Dann taumeln die Blüten zu Boden – für Japaner Symbol der Melancholie.

Das Alstervorland streckt sich längs des Harvestehuder Weges. Es ist Teil der Joggerstrecke (sieben Kilometer) um die Außenalster, Flaniermeile, Hundeausführzone und Platz zum Chillen. Früher war hier Weideland. Im Zweiten Weltkrieg baute man Kohl und Kartoffeln an. Für die Internationale Gartenbauausstellung 1953 wurden die Grundbesitzer enteignet, Gartenarchitekt Gustav Lüttge machte aus dem Areal einen Park mit japanischen Laternen. Am Harvestehuder Weg reihen sich Gründerzeitvillen, neobarocke Burgen, Luxusneubauten. Das »Jahrbuch des Vermögens und Einkommens der Hansestädte« weist nach, dass schon vor über hundert Jahren von den damals 723 Millionären in Hamburg über die Hälfte in Harvestehude und Rotherbaum lebten. 40 am Harvestehuder Weg. Seither heißt er »Straße der Millionäre«.

Adresse Fährdamm/Harvestehuder Weg, 20148 Hamburg | Hochbahn U 1, Haltestelle Hallerstraße; Bus 19, Haltestelle Alsterchaussee | Tipp Ein Sponsor hat der Hochschule für Musik und Theater eine »JazzHall« geschenkt. Der Konzertraum ist unter einem Grashügel versenkt, zum Alstervorland lässt sich eine Glasfassade öffnen. So kann man den Musikern auch von draußen zuschauen (Harvestehuder Weg 12).

40 Der Tempel

Volles Programm im Rolf-Liebermann-Studio

Die Liebermänner. Sie waren echte Promis ihrer Zeit. Georg Liebermann war schwerreicher Textilunternehmer und Sozialreformer. Der Maler Max Liebermann gilt als wichtiger Vertreter des deutschen Impressionismus. Von ihm stammt der Satz: »Ick kann jar nich soville fressen, wie ick kotzen möchte.« Max Liebermann sagte ihn, als am Abend der Machtergreifung Nazis im Fackelzug an seinem Berliner Haus vorbeimarschierten. Emil Rathenau gehörte ebenfalls zur Verwandtschaft. Er gründete den Elektrokonzern AEG. Sohn Walther wurde Außenminister, Rechtsradikale erschossen ihn im Fond seines Cabriolets. Aus dieser Familie kommt auch Rolf Liebermann (1910–1999). Er war Komponist. Er leitete die Hauptabteilung Musik des NDR und die Pariser Oper, war 17 Jahre Intendant der Hamburgischen Staatsoper.

Das Rolf-Liebermann-Studio hieß früher Großer Sendesaal. Bis 1938 war es Tempel. Die Gründer einer jüdischen Gemeinde entschieden sich bewusst gegen die Benennung als Synagoge. Sie wollten Reformer sein: deutsche Lieder, deutsche Predigten. Ziel war es, sich stärker in die Hamburger Gemeinschaft zu integrieren. Der Tempel im Bauhaus-Stil überstand die Pogromnacht, die Inneneinrichtung wurde aber zerstört. Der NDR-Vorläufer Nordwestdeutscher Rundfunk kaufte das Gebäude der Jewish Trust Corporation ab. Das vergoldete Deckengewölbe und das kreisrunde Fenster mit siebenarmigem Leuchter sind restauriert. Die Künstlerin Doris Waschk-Balz hat ein Mahnmal aufgestellt. Der zerrissene Thoravorhang und die zerbrochene Thorarolle erzählen davon, dass das Gotteshaus geschändet, aber nicht zerstört wurde.

Matineen, Klassik-Konzerte, viel Jazz – das Studio ist gut besucht. Hans Rosenthal hat hier Hörfunkformate wie »Spaß muss sein« moderiert. Für das NDR-Sinfonieorchester, die Big Band und den Chor ist der Saal auch Probebühne. Heidi Kabel war Dauergast in der Kultsendung »Sonntakte«.

Adresse Oberstraße 120, 20149 Hamburg, Tel. 0800/6378425 | Hochbahn U 1, Haltestellen Hallerstraße und Klosterstern; Bus 19, Haltestelle Sophienterrasse; Bus 34, Haltestelle Oberstraße | Öffnungszeiten Programm unter www.ndrticketshop.de | Tipp Das Stadion am Rothenbaum ist mit 10.000 Zuschauerplätzen am Centre Court Deutschlands größte Tennisarena. Die Dachmembran kann man schließen (Hallerstraße 89).

41 Das Bunkerbild

Mieter malten mit

Auf der Treppe steht Oma Mops in ihrem Sonnenblumenkittel. Niemand kann mehr sagen, warum sie diesen Beinamen trug. Schließlich hatte sie immer ihre schwarze Katze auf dem Arm. Hausmeisterin Hertha Gross, Mutter Gross genannt, ist mürrisch abgebildet. Sie hat ihren Besen in den Händen. Inez, gealterte Flamencotänzerin aus Argentinien, ist zu sehen. War sie wütend, spielte sie lautstark Klavier. Und sie spielte immer falsch. Georg und Peter sind da, sie schleppen ihr Boot zum Isebekkanal. Der Kohlenträger. Der Pflastermaler. Die häkelnden Griechinnen. Opa Max, immer bestens angezogen. Sogar an den Hasen hat man gedacht, der aus dem Lüftungsschacht gerettet werden konnte. Niemand, der typisch oder prägend war für das Leben in den Falkenried-Terrassen, sollte vergessen werden. Das Bunkerbild der Künstler Sönke Nissen-Knaack und Eckhart Keller zeigt Szenen aus dem Leben der Bewohner. Die Komposition des Gemäldes haben die Mieter bestimmt. Jeder konnte mitreden, wer auf dem Bild zu sehen sein soll.

Das ist die Idee der Nachbarn in den 324 Wohnungen, die nicht größer als 50 Quadratmeter sind: gemeinsam entscheiden. Das Quartier an fünf langen Passagen zwischen der Straße Falkenried und der Löwenstraße wird von einer Mietergenossenschaft selbstverwaltet. Ein Beirat entscheidet, wer einziehen darf. Er achtet auf eine gute Mischung. Darauf, dass Senioren hier neben jungen Familien wohnen. Dass Menschen mit weniger Geld Nachbarn werden von Leuten, die mehr Einkommen haben. Gebaut hat man die Häuserreihen Ende des 19. Jahrhunderts für die Familien der Arbeiter, die in den Fahrzeugwerkstätten gegenüber Eisenbahnwaggons zusammenschraubten.

Zwischen die dreigeschossigen Häuserzeilen haben die Mieter Gartentische und Stühle unter Bäume geschoben und Sonnenschirme aufgestellt. Sie pflegen Blumen und bauen Gemüse in Kübeln an. Die winzigen Vorgärten sind die Terrassen.

Adresse Falkenried 34, 20251 Hamburg | Hochbahn Bus 5, Haltestelle Eppendorfer Weg Ost | Tipp Durch den Bunkerdurchbruch gehen, sich umdrehen: Die Rückwand haben die Künstler mit Bildern zu den Themen Atomenergie, Mensch und Maschine, multikulturelles Leben und Umwelt gestaltet.

42 Die Fahrradhäuschen

Zwölf Ecken für zwölf Räder

Fahrradfahrer haben immer Vorfahrt. Wenn nicht, nehmen sie sich diese. Rücksichtslos. Fußgänger springen dann zur Seite. Autofahrer werden zur Vollbremsung genötigt. Da stimmen selbst Hamburger Radler zu. Oder ist es ganz anders? Gefährden Autolenker die Biker? Beim Abbiegen und weil sie zu dicht vorbeifahren an ihnen? Und hat nicht schon mancher Fußgänger einen Radler zum Sturz gebracht? Jede Seite hat ihre Vorurteile und Argumente. Das Deutsche Institut für Urbanistik hat 1,64 Millionen Fahrräder in Hamburg gezählt. Ein Fünftel der Besitzer nutzt sein Rad täglich. Der Anteil der Radfahrer am Verkehr beträgt 22 Prozent. Damit das mehr wird, sollen in Zukunft die Radwege höhenversetzt zur Fahrbahn verlaufen, so sicherer werden. Mehr schnelle Velorouten in die City sind geplant.

Beim Fahrradklau ist die Stadt schon spitze. Nach der jüngsten Kriminalstatistik der Polizei wurden je 100.000 Einwohner im Jahr 794 Räder gestohlen. Das sind mehr als in Berlin oder Frankfurt am Main. Spitzenreiter ist Göttingen. Einmal verschwand ein Fahrrad im Wert von mehr als 25.000 Euro. Bei einem Gebrauchtwarenhändler beschlagnahmte die Polizei 1.500 vermeintlich gestohlene Räder, 15 Lastwagen brauchte sie für den Abtransport. Aber nur in 20 Fällen reichte es für eine Anklage wegen Hehlerei. Alle anderen Räder erhielt die Firma zurück.

Eimsbüttel und Hoheluft sind Stadtteile mit viel Altbaubestand, vielen Fahrrädern und wenigen Fahrradkellern. Hier stehen vor den Mietshäusern auf öffentlichem Grund zwölfeckige Fahrradhäuschen aus Stahl und Holz. Auf sechs Quadratmetern haben darin zwölf Räder Platz. Mit dem Vorderrad werden sie an einem Karussell aufgehängt. Eine zweiflügelige Tür verschließt die Hütte. Solch ein Häuschen kostet um die 7.500 Euro. Die Stadt fördert die Idee mit bis zu 3.500 Euro je Unterstand, den Rest und die Kosten für Pflege stemmen die Mieter. Weil Straßenumbauten bevorstehen, sind einige der Häuschen in Gefahr.

Adresse Hegestraße 17, 20251 Hamburg | **Hochbahn** U 3, Bus 114, Haltestelle Eppendorfer Baum; Bus 5, Haltestelle Hoheluftbrücke | **Tipp** Absteigen heißt es nicht nur für Radfahrer. In der Hegestraße, deren östlicher Teil zu Eppendorf gehört, liegen viele angesagte Shops für Mode und Design im Souterrain.

43 Dittsche sein Imbiss

»Ma sagn« sein TV-Studio

Dittsche weiß Rat. In Episode 64 hat er getestet, wie man aus einem Staubsauger einen Indoor-Grill bastelt. Was zum Phänomen des »Sickerbrandes« führte, der sich von oben nach unten durch die Stockwerke eines Mietshauses frisst. In Folge 256 schlurft der Bademantel-Philosoph in Ingos Imbiss, hat wieder eine seiner »Weltideen« im Kopf. Er lässt Krötensohn Jens von seinem frisch gebrühten Bohnenkaffee kosten, bevor er ausführt, dass er seine gebrauchte FFP2-Maske bei 90 Grad im Backofen desinfiziert hat, weil sie noch gut als Filtertüte taugt. Seit 2004 ist Komödiant Olli Dittrich Dittsche, erklärt »das wirklich wahre Leben«. Macht das Weltgeschehen ein bisschen erträglicher, indem er es auseinandernimmt, um es dann wieder zusammenzusetzen. Dittsches Wochenspiegel im Dialog mit Wirt Ingo (»mein Ingomann«) ist eine Mischung aus Politmagazin, Kulturspiegel, Klatschspalte und Seelentröster-Service. Der Tagesspiegel fordert: »Der WDR sollte uns das ganze Jahr mit Dittsche versorgen, die Welt verstehen und glücklicher werden lassen.«

Die Sendung ist Kult. Mit dem Grimme-Preis und dem Deutschen Fernsehpreis dekoriert. Die 30 Minuten werden sonntags live aus der Eppendorfer Grillstation übertragen. Am Nachmittag fährt das Team vom Sender vor, verlegt Kabel, baut sechs Kameras auf. Die Regie richtet sich in der Küche zwischen Senfeimern und Fleischermessern ein. Der Satellitenwagen parkt ums Eck.

Wenn Dittsche im Oberhemd unterm gestreiften Bademantel, Jogginghose und »Schumiletten« am Imbisstresen philosophiert, ist alles improvisiert. Olli Dittrich kommt mit ein paar Ideen zum Dreh, Ingo mit der Ananas-Frisur (Schauspieler Jon Flemming Olsen) und der Krötensohn (Jens Lindschau) müssen spontan reagieren. Der richtige Imbisswirt Oliver Kammerer hat an den Drehtagen frei. Im wirklich wahren Leben, meint er, habe er »noch bessere Gäste«. Auch welche, die im Bademantel kommen.

Adresse Eppendorfer Weg 172, 20253 Hamburg, Tel. 040/42326809 | Hochbahn U 3, Haltestelle Hoheluftbrücke; Bus 5, Haltestelle Eppendorfer Weg Ost; Bus 20, 25, Haltestelle Kottwitzstraße; Bus 181, Haltestelle Mansteinstraße | Öffnungszeiten Mo–Sa 11–20 Uhr, So 12–20 Uhr | Tipp Kein Appetit auf Pommes Schranke, Haxn und »hausgemachten Mittagstisch«? Egon Geißen hat Austern, Kaviar, Hummer und »Fische aus aller Welt« (Eppendorfer Weg 180).

44 Die Peking

Letzte Reise des schnellen Frachtenseglers

Irving McClure Johnson ist Abenteurer, kein Draufgänger. Bevor er 1929 an Bord des Viermasters Peking von Hamburg nach Talcahuano (Chile) geht, trainiert er wochenlang. Er klettert auf schwankende Telegraphenmasten, an die er Querhölzer geschraubt hat – ganz so, wie sie bei einem Schiff mit Rahsegeln im Einsatz sind. Johnson versetzt die Masten in Schwingungen, macht oben Kopfstand. Er will auf alles vorbereitet sein. Von dort oben filmt Johnson bei seiner Tour, wie die Peking, getrieben vom Wind in 32 Segeln, im schwerstem Sturm das berüchtigte Kap Hoorn umrundet. Mit 17 Knoten, das entspricht Tempo 31. Ein Teil der Segel zerfetzt. Um sie zu bergen, klettern die Rigger über die Webleinen nach oben. Immer wieder rollen haushohe Wellenberge übers Deck. Johnsons Dokumentarfilm, bei youtube anzusehen (»Around Cape Horn«), ist ein spektakuläres historisches Dokument.

Die Peking gehörte zur Flotte der berühmten »Flying P-Liner« der Reederei Laeisz (siehe Ort 13). Sie holte Salpeter aus Chile. Die 115 Meter langen Frachtensegler, ganz ohne Motor, waren deutlich günstiger als Dampfschiffe jener Zeit. Schneller häufig auch. 34 Mal hat die Peking Kap Hoorn umfahren. Die Schwesterschiffe Passat und Pommern sind als Museumsschiffe in Travemünde und im finnischen Mariehamn vertäut. Die Padua, als Reparationsleistung an die Sowjetunion abgegeben, ist heute als Kruzenshtern russisches Segelschulschiff. Der vorletzte Liegeplatz der Peking war für 40 Jahre der Museumshafen von Manhattan.

Völlig verrottet kam die Peking im Dockschiff zurück. Die Ingenieure und Techniker der Peters-Werft in Wewelsfleth haben sie drei Jahre lang wiederaufgebaut. 38 Millionen Euro hat das gekostet. Im Triumphzug hat man die Bark 2020 auf ihrer letzten Reise nach Hamburg geschleppt. Sie ist nun weiteres Wahrzeichen. Voraussichtlich 2029 wird sie in den neuen Museumshafen am Holthusenkai verholt.

Adresse Bremer Kai / Kopfbau Schuppen 50, 20457 Hamburg, Tel. 040/73091184 | Hochbahn Bus 256 (nicht am Sonntag), Haltestelle Australiastraße / Hafenmuseum; Nostalgie-Bus 856 (nur am Sonntag), Haltestelle Hafenmuseum | Öffnungszeiten Peking: jederzeit von der Kaikante aus zu sehen, Führungen (60 Minuten) April – Okt. Mo, Mi, Fr 10 – 15 Uhr, Sa, So 10 – 16 Uhr; Museum: April – Okt. Mo, Mi – Fr 10 – 17 Uhr, Sa, So 10 – 18 Uhr | Tipp Alte Kai-Kräne, historische Güterwagen, ein kohlebefeuerter Schwimmdampfkran, der Stückgutfrachter MS Bleichen – im Museum kann man Hafenatmosphäre vor Einführung der Container spüren.

45 Die Fußspuren

»Wirklicher, wahnsinnig nagender Hunger«

Von den Zigtausenden, die im Konzentrationslager Neuengamme umgebracht wurden, haben die SS-Männer viele zu Tode geprügelt, erschossen, erhängt, vergast und verbrannt. Die meisten sind wegen der mörderischen Bedingungen gestorben. Weil sie auch bei Frost oft ohne Schuhe zwölf Stunden im Freien arbeiten mussten. Weil Durchfälle Alltag waren, die Latrinen aber verstopft. Weil Kranke keine ärztliche Hilfe bekamen. Am schlimmsten war der Hunger, mittags gab's nur eine wässrige Suppe. Der Hunger tötete auch die menschliche Würde.

Edgar Kupfer-Koberwitz, der überlebte, schreibt in seinen Erinnerungen: »Jemand hatte gegessen, seine ganze Abendration. Margarine, Wurst, das Brot. Irgendwie war er in den Besitz von Sirup gelangt und hatte diesen auch verschlungen. Aber der Magen war nicht mehr an schwere Dinge gewöhnt. Er gab die Mahlzeit wieder heraus. Nun lag die Kost gekaut auf dem Boden. Ein junger Pole stürzte hin, aß das Erbrochene auf. Ich fand es gar nicht absonderlich, im Gegenteil, ich hatte ähnliche Gedanken gehabt. Das war Hunger, wirklicher, wahnsinnig nagender Hunger. Nur ein Mensch, der von dieser Qual besessen ist, kann so denken und handeln.«

Unglaublich, bis 2006 hat Hamburg Teile des KZ-Geländes für Gefängnisse genutzt. Jetzt ist die Gedenkstätte auch Lernort. Im weitläufigen Freigelände steht ein Waggon der Deutschen Reichsbahn, in solchen Transportern hat man die Gefangenen nach Neuengamme verschleppt. Erst politische Gegner, Juden, Sinti und Roma, Homosexuelle, Zeugen Jehovas. Später Zwangsarbeiter aus Polen, der Sowjetunion, Belgien, Dänemark, Frankreich und den Niederlanden. Neben dem Waggon liegt im Boden eine Betonplatte, so groß wie die Ladefläche. Im Beton viele Fußabdrücke nebeneinander. Sie dokumentieren, wie eng die Häftlinge tagelang stehen oder kauern mussten. 21 Quadratmeter für 80 Menschen. Und niemand hat für ihre Notdurft gesorgt.

Adresse Jean-Dolidier-Weg 75, 21039 Hamburg, Tel. 040/428131500 | **Hochbahn** Bus 127, 227, 327, Haltestellen KZ-Gedenkstätte Ausstellung und KZ-Gedenkstätte Mahnmal | **Öffnungszeiten** Außengelände jederzeit zugänglich, Ausstellung Mo–Fr 9.30–16 Uhr, Sa, So 10–17 Uhr | **Tipp** »Le Déporté« heißt die Skulptur eines ausgemergelten, im Dreck liegenden Mannes beim Haus des Gedenkens. Das Werk der Künstlerin Françoise Salmon ist ein Geschenk französischer Häftlinge.

46 Die Agentur des Rauhen Hauses

Im Keller traf sich die Weiße Rose

Sophie und Hans Scholl. Neben Claus Graf von Stauffenberg fallen sofort ihre Namen, wenn es um Widerstand gegen Hitler geht. Hans hat im Februar 1943 einen rotbraunen Koffer dabei, Sophie eine Aktentasche, vollgestopft mit Flugblättern gegen das Nazi-Regime, die sie im Lichthof der Münchner Uni verteilen. Der Hausmeister verpfeift die Geschwister. Die Gestapo erwischt sie. Vier Tage später werden sie und ihr Freund Christoph Probst ermordet, 30 Mitstreiter verhaftet. Was nur wenige wissen: So viele Sympathisanten der Weißen Rose sperrt die Gestapo auch in Hamburg ein. Der Chemiestudent Hans Leipelt, einer der Köpfe der Gruppe, wird zum Tode verurteilt, mit dem Fallbeil getötet. Sieben Verbündete überleben die Haft nicht oder werden im KZ hingerichtet.

Die Mitglieder der Weißen Rose stehen für Zivilcourage und politische Verantwortung. Die Widerständler in der Hansestadt haben sich selbst nie Weiße Rose genannt, man hatte aber dieselben Ziele. Seit 1945 sprechen Geschichtsforscher von der Weißen Rose Hamburg. Es waren miteinander verflochtene Freundeskreise. Ehemalige Schüler der reformerischen Lichtwarkschule in Winterhude. Vertraute der Familie Leipelt. Assistenten und Studenten rund um Rudolf Degkwitz, Chefarzt der Uni-Kinderklinik Eppendorf. Jazz-Liebhaber der Swingjugend. Auch Reinhold Meyer gehörte zum Kern der Rose. Er war Juniorchef der Buchhandlung Agentur des Rauhen Hauses. In deren Keller am Jungfernstieg traf man sich, um zu debattieren und Aktionen zu planen.

Die Hamburgerin Traute Lafrenz brachte die Weiße-Rose-Papiere an die Elbe. Sie und Hans Scholl waren ein Paar. Nach der Hinrichtung der Geschwister holte Hans Leipelt deren letztes Flugblatt aus München, vervielfältigte und verbreitete es. Versehen mit dem Zusatz: »Und ihr Geist lebt trotzdem weiter!«

Adresse Jungfernstieg 50, 20354 Hamburg | Hochbahn U2, Bus 5, 19, Haltestelle Gänsemarkt | Tipp Der sitzende Gotthold Ephraim Lessing auf dem Gänsemarkt fiel bei einem Bombenangriff 1944 vom Sockel. Vorsorglich hat man den Dichter auf dem Heiligengeistfeld eingegraben und erst nach dem Krieg wieder Platz nehmen lassen.

47 Der Feuersturm

Alfred Hrdlickas Antwort auf den »Kriegsklotz«

Die Figur des Bildhauers Alfred Hrdlicka zeigt einen entstellten Menschen. Er ist verbrannt. Flammen haben den linken Arm bis auf die Knochen zerfressen. Der rechte Unterschenkel fehlt. Die Skulptur erinnert an zehn Nächte im Sommer 1943. Damals fallen aus alliierten Fliegern Hunderttausende Bomben auf Hamburg. Sprengbomben durchschlagen Dächer und Mauern, machen den Weg für Brandbomben frei. Aus Zehntausenden Feuern wird ein Flächenbrand. Die Menschen ersticken in ihren Kellern, verglühen auf der Straße. Am Ende der »Operation Gomorrha« zählt man 40.000 Tote, eine Dreiviertelmillion Hamburger sind obdachlos.

Hrdlickas »Feuersturm«-Bronze ist Teil eines Mahnmals gegen Krieg und Faschismus in Form eines zerbrochenen Hakenkreuzes. Eine Marmor-Figurengruppe »Cap Arcona« ist integriert. So hieß ein Luxusliner der Reederei Hamburg Süd. Fünf Tage vor Kriegsende hatten die Nazis 4.600 Häftlinge des KZ Neuengamme auf dem Schiff zusammengepfercht. Royal-Airforce-Piloten versenkten es. Sie hielten den Dampfer für einen Truppentransporter der Wehrmacht.

In den 1970er Jahren tobt in Hamburg eine heftige Diskussion um den »Kriegsklotz«. So nennen die Menschen ein besonders scheußliches Stück Propagandakultur zur Verherrlichung des Krieges, das schon seit 1936 am Dammtordamm steht. Soldaten mit geschulterten Gewehren marschieren als Relief um den Quader. Darüber der Spruch: »Deutschland muss leben, auch wenn wir sterben müssen.« Viele wollen damals den Abriss, der Senat stimmt dagegen. Er beauftragt Hrdlicka, ein Gegendenkmal zu entwerfen.

Ein drittes Memorial für Opfer der NS-Militärjustiz macht den Gedenkort seit 2015 komplett. Der Künstler Volker Lang hat es als Dreieck mit Schriftgittern gestaltet. Mindestens 206 Rekruten wurden in Hamburg wegen Desertion oder »Zersetzung der Wehrkraft« ermordet. Auch Frauen und Mütter untergetauchter Soldaten hat man verurteilt.

Adresse Dammtordamm Ecke Stephansplatz / Gorch-Fock-Wall, 20354 Hamburg | Hochbahn U 1, Bus 4, 5, 19, 34, 36, 112, Haltestelle Stephansplatz | Tipp Der Zugang zu Planten un Blomen am Stephansplatz war früher der Haupteingang des Botanischen Gartens. Es war untersagt, »daselbst Tabak zu rauchen«. Auch Sitzen auf dem Rasen und Kinderwagen waren verboten.

48 Die Gustaf-Adolfskyrkan

Suppe und Lebertran! Von hier kommt Hilfe

Die meisten Hamburger wissen mit ihrem Namen nichts anzufangen. Es ist ja nicht mal eine Straße nach ihr benannt. Dabei war Ragna Norström einst die gute Seele der Stadt. Es ist der extrem kalte Winter 1946/47. Die Hamburger frieren, es gibt kein Heizmaterial. Verzweifelte Familienväter fällen Straßenbäume. Mit Schwarzmarktgeschäften versuchen sie, mehr Essen aufzutreiben, als es auf die Lebensmittelkarten gibt. Die Schwedin Ragna Norström ist damals eine der Initiatorinnen der Ein-Kronen-Sammlung. Zusammen mit einer Freundin und dem Schwedischen Roten Kreuz ruft sie alle Frauen ihrer Heimat auf, eine Krone für hungernde Deutsche zu spenden. In Hamburg organisiert Ragna Norström die Hilfe. 40.000 Kinder im Alter von drei bis sechs Jahren überleben mit dieser »Schwedenspeisung«. Werden täglich mit einer warmen Suppe und Brot versorgt. Zusätzlich gibt's einen Löffel Lebertran, warme Kleidung und Schuhe.

Ragna Norström (1900–1998) ist zu dieser Zeit Leiterin der kleinen Schule, die der schwedischen Gustaf-Adolfskyrkan angeschlossen ist. Die älteste Seemannskirche der Stadt trägt den Namen eines schwedischen Königs. Mit 22 Jahren kommt Ragna Norström als Junglehrerin aus Göteborg nach Hamburg. Ein altes Foto zeigt sie mit Schiffermütze. Auf späteren Aufnahmen ist sie im hochgeschlossenen Kostüm beim Geografieunterricht zu sehen. Die Pädagogin wohnt auch in dem Kirchengebäude, zu dem neben dem Kirchensaal sechs Wohnungen gehören.

Der Backsteinbau übersteht als eines von wenigen Gebäuden den Bombenhagel des Zweiten Weltkriegs auf den Hafen. Die Kirche ist heute Treffpunkt der gläubigen Schweden in Hamburg, Bremen, Niedersachsen, Schleswig-Holstein und Mecklenburg-Vorpommern. Zum Midsommerfest und am Luciatag am 13. Dezember kommen Tausende. Das Gebäude ist auch Sitz des schwedischen Honorarkonsulats. Im Café sind Kanelbullar, Zimtschnecken aus Schweden, der Renner.

Adresse Ditmar-Koel-Straße 36, 20459 Hamburg, Tel. 040/32031404 | **Hochbahn** U3, S1, S3, Haltestelle Landungsbrücken; Bus 3, 17, Haltestelle Feldstraße | **Öffnungszeiten** Gottesdienst: So 11 Uhr; Andacht: Do 14–16 Uhr; Café: Do–Sa 14–17 Uhr, So 12–17 Uhr; Chorprobe: Di 19.30–21 Uhr | **Tipp** Drei weitere Seemannskirchen säumen die Straße. Die norwegische, die dänische, die finnische, diese mit zwei Saunen. Frauen und Männer saunieren getrennt (Ditmar-Koel-Straße 6).

49 De Jung mit'n Tüdelband

Quiddjes üben Hamburgs Hymne

Ohnsorg-Theater-Legende Heidi Kabel hat den Gassenhauer wohl am häufigsten interpretiert. Jan Fedder, Polizeiobermeister in der TV-Serie »Großstadtrevier«, hat sich mit Entertainerin Ina Müller (»Inas Nacht«) an einer Reggae-Version versucht. Jede Hamburgerin und jeder Hamburger – wenn er kein Quiddje ist, also zugezogen – kennt den Ohrwurm: »An de Eck steiht 'n Jung mit 'n Tüdelband / in de anner Hand 'n Bodderbrood mit Kees / wenn he blots nich mit de Been in 'n Tüdel kümmt / un dor liggt he ok all lang op de Nees.« Jeder kann mitsingen.

Unbekannt ist, dass die Brüder Ludwig, Leopold und James Wolf, die als Urheber des Couplets, des mehrstrophigen, witzigen Liedes, gelten, gar nicht die alleinigen Autoren sind. Musikhistoriker haben das vor Kurzem herausgefunden. Die Wolfs verfassten wohl den Text der heutigen ersten Strophe, damals die zweite eines Liedes mit dem Titel »En echt Hamburger Jung«. Die heutige zweite Strophe von der »Hamburger Deern«, die ebenfalls »an de Eck steiht«, und zwar »mit 'n Eierkorf« und »'n groten Buddel Rum«, schrieb der Boxpromoter Walter Rothenburg. Die Melodie hat Sänger Charly Wittong sich einfallen lassen. Der Refrain (»Klaun, klaun / Äppel wüllt wi klaun«) stammt vom Operetten-Kapellmeister Paul Lincke. Verwirrend auch das Tüdelband, das ursprünglich ein Trudelband war, ein eiserner Fassreifen, den Straßenjungen als Spielzeug mit einem Stock durch die Gassen trieben. Zum Tüdelband, eigentlich ein Bindfaden, ist es erst später geworden.

Egal, das Lied ist Hymne des Stadtstaates. Erstaunlich, dass man ihm erst vor wenigen Jahren ein Denkmal setzte. Als Eigentümer Sven Friemuth erfuhr, dass Ludwig Wolf (1867–1955) in seinem Haus gewohnt hat, gab er bei Bildhauer Siegfried Assmann einen »Jung mit 'n Tüdelband« in Auftrag. Dass dem die Käsestulle aus der Hand fällt, muss nicht befürchtet werden. Die Figur ist aus Bronze.

Adresse Hütten 86, 20355 Hamburg | Hochbahn Bus 112, Haltestelle Museum für Hamburgische Geschichte | Tipp Adele Lambertz, Josef Lambertz und Tochter Wilhelmine. Vor dem Hauseingang sind drei Stolpersteine in den Gehweg eingelassen. Die Familie, die auch hier wohnte, wurde 1943 ins KZ Theresienstadt verschleppt. Keiner überlebte.

50 Die Jungfern am Steig

Unterirdisches aus dem 13. Jahrhundert

Nicht auszudenken, welch gesellschaftspolitischer Diskurs zu führen wäre und wie viele Talkshowrunden guten Stoff hätten für allabendliches Gezänk, würde solch rituelle Fleischbeschau noch heute inszeniert. Aber in der Mitte des 17. Jahrhunderts war das ein Pläsier. Da haben die feinen hanseatischen Väter in weißen Hosen und mit Zylinder ihre hübschen Töchter, adrett verpackt und herausgeputzt, sonntags über die Promenade auf dem alten Reesendamm geführt. In der Hoffnung, einen passenden Heiratskandidaten zu finden. Und die Kaufmannssöhne haben die potentiellen Bräute feixend taxiert, von denen zumindest die Eltern glaubten, dass sie noch Jungfrauen waren. Daher der Name Jungfernstieg.

Tief in seinem Untergrund verbirgt sich eine Kostbarkeit, von der selbst viele Hamburger nichts wissen und an der andere achtlos vorüberhetzen. Eingezwängt zwischen Pfeilern, Sitzmöbeln, Werbeplakaten und Abfallkübeln steht auf dem Bahnsteig der U-Bahn-Linie 1 eine hölzerne Plastik, die sieben junge Frauen zeigt. Richard Luksch, damals Professor der Kunstgewerbeschule, der heutigen Hochschule für bildende Künste, hat das Relief aus einem uralten Eichenpfahl geschnitzt. Dieser wurde vor 800 Jahren genau hier in die Erde gerammt, um die Alster aufzustauen und eine Mühle zu betreiben. So ist der Alstersee entstanden. Als man in den 1930er Jahren den Tunnel für die U1 buddelte, hat man einige der Pfähle des alten Stauwehrs ausgegraben. Für Richard Luksch (1872–1936) das ideale Werkmaterial, um eine Brücke über sieben Jahrhunderte Baugeschichte zu schlagen. Jede seiner Frauenfiguren steht für eines dieser Säkula.

Über den Jungfernstieg mit seinen Logenplätzen zur Binnenalster und prächtiger Gebäudesilhouette im Rücken, dürfen seit 2020 nur noch Fahrräder, E-Roller, Busse, Taxis und Lieferwagen rollen. Teil der gepriesenen Mobilitätswende in Hamburg. Die Flaniermeile wird umgebaut.

Adresse Jungfernstieg, 20354 Hamburg | Hochbahn S1, S2, S3, U1, U2, U4, Bus 4, 5, 19, Haltestelle Jungfernstieg | Tipp Mal ein Gedenkort, der nicht einem Promi gewidmet ist: Der Yüksel-Mus-Platz erinnert an einen Straßenfeger, der den Jungfernstieg blitzblank gehalten hat. Yüksel Mus (1964–2015) verließ im Frack sogar die Hochzeit seiner Tochter, um mit der Kehrmaschine ein Schmutzproblem zu lösen (Ecke Jungfernstieg/Neuer Jungfernstieg).

51 Die Mellin-Passage

Jugendstil beim Biskuitbäcker

Vier Gemälde zieren die Decke. Die Bilder in zarten Farben zeigen Frauen unterschiedlichen Alters. Eine junge Schönheit mit Schmetterlingsflügeln reicht einem Säugling die Flasche. Ein Flatterband umspielt ihren rechten Arm. Auf dem nächsten Bild ist sie schon Dame, gereift, von Rosen umgeben. Ein Pfau schaut ihr über die Schulter. Die dritte Dekoration zeigt die Dame mit Friedenstauben. Auch das vierte Fresko ist eine Parabel. Die Frau hat eine Sanduhr in der Hand. Ein schwarzer Rabe fliegt davon. Zeichen der Vergänglichkeit. Jeweils ist auch eine Flasche abgebildet, auf deren Etikett »Mellin's Nahrung« steht. Vermutlich enthält sie das, was wir heute Nahrungsergänzungsmittel nennen, dem Lebensalter der Damen angepasst. Auf jeden Fall gibt sie einen Hinweis auf den Auftraggeber der Malerei. Der Drogist Mellin aus London hatte hier sein Geschäft. Die Schriftzüge »Mellin's Food« und »Mellin's Biscuits« sind an den Wänden zu entdecken. Biskuitbäcker war der Krämer auch.

Man hat die Deckenkunst erst vor drei Jahrzehnten wiederentdeckt. Ein Feuer hatte der Passage übel zugesetzt. Restauratoren legten die Malereien wieder frei. Der Ladendurchgang verbindet die exklusive Shoppingmeile Neuer Wall mit den Alsterarkaden. Als nach dem Großen Brand von 1842 die Stadt umgebaut wurde, hat Alexis de Chateauneuf den rundbogigen Arkadengang im Stil italienischer Baumeister entworfen. Venedig war Vorbild. Die Passage wurde 1864 eröffnet.

Die Geschäfte im Durchgang sind von solcher Eleganz wie die Passage selbst. Ganz besonders ist Felix Jud, Buchhandlung und Kunsthandel. Hier werden Bücher nicht verkauft, hier wird Lesen zelebriert. Modezar Karl Lagerfeld nannte den Laden »mein intellektuelles Delikatessengeschäft«. Felix Jud war kein Jude, aber entschiedener Gegner des NS-Regimes. Er verkaufte »verbotene Bücher« unter dem Tresen. Wegen seiner Kontakte zur Weißen Rose saß er im KZ.

Adresse Neuer Wall 13/Alsterarkaden, 20354 Hamburg | Hochbahn S1, S2, S3, U1, U2, U4, Bus 4, 5, 19, Haltestelle Jungfernstieg | Tipp Im syrischen Saliba die Mazza probieren, die vegetarische »Karawane der Köstlichkeiten«. Starkoch Paul Bocuse schwärmte: »Dem Farbenspiel der Mazza, wie ich sie im Saliba gegessen habe, haben wir in der europäischen Küche nichts entgegenzusetzen.« (Neuer Wall 13, geöffnet täglich 11–22 Uhr)

52 Das Mors Mors

Antwort auf die Politik

Über die Gängeviertel wusste Johann Hinrich Wichern, Sozialpädagoge und Erfinder des Adventskranzes, im 19. Jahrhundert nichts Löbliches zu berichten: »Die scheußlichste Pestluft erfüllte die engen Straßen. Alles strotzte vor Schmutz. Verzweiflung und völliger Stumpfsinn warfen dunkle Schatten auf die Gesichtszüge der Versammelten.« Die Gängeviertel in der Altstadt und der Neustadt waren so dicht bebaut, dass durch viele Gänge nicht einmal ein Handkarren passte. Durch Twieten, enge Durchlässe, gelangte man in Hinterhöfe, mit Holzbuden bebaut. 25 Quadratmeter mussten für fünf Personen reichen. Ungeziefer hatte freie Bahn. Es wurde viel gesoffen im Viertel. Prostituierte hatten hier ihre Zimmer. Eine Kanalisation gab es nicht. Auch kein fließendes Wasser.

Wasserträger versorgten die Bewohner. Hans Hummel (1787–1854) war einer von ihnen, eigentlich hieß er Johann Wilhelm Bentz. Er war in die Wohnung des verstorbenen Stadtsoldaten Daniel Christian Hummel gezogen. Seither wurde auch Bentz nur noch Hummel genannt. Wenn er nun mit dem Tragejoch auf den Schultern die Wassereimer durch die Gänge schleppte, riefen ihm rotznäsige Jungs »Hummel, Hummel« hinterher, zeigten ihren blanken Po. Bentz, schwer beladen, konnte sich nur mit Worten wehren. »Klei mi an 'n Mors«, soll er niederdeutsch geantwortet haben, »leckt mich am Arsch«. »Mors, Mors« war die verkürzte Form. »Hummel, Hummel – Mors, Mors!« gilt seither als Hamburger Gruß.

Am Eckhaus Rademachergang/Breiter Gang zieht ein frecher Kerl mit Schiebermütze die Hose runter, streckt den Passanten den Hintern entgegen. Auf der anderen Straßenseite steht ein Denkmal für Hans Hummel. Dieses frühere Gängeviertel wurde ab 1933 von den Nationalsozialisten neu bebaut. Sie konnten so die Bewohner vertreiben, aufräumen im »Kommunistennest«. Manche interpretieren den Po an der Wand deshalb als subtile Antwort auf die Politik der Nazis.

Adresse Ecke Rademachergang/Breiter Gang, 20355 Hamburg | Hochbahn U2, Haltestelle Gänsemarkt; S1, Haltestelle Stadthausbrücke; Bus 3, Haltestelle Axel-Springer-Platz; Bus 34, 36, 112, Haltestelle Johannes-Brahms-Platz | Tipp Der Bäckerbreitergang, Verlängerung des Breiten Gangs, erinnert noch an die frühere Bebauung. Im Haus Nummer 6 hat Bertha Keyser gelebt. Die »Mutter der Heimatlosen« kochte für die Ärmsten im Armeleuteviertel.

53 Die Rathausschleuse

»Wasser ziehen«, damit die Stadt nicht absäuft

Noch wichtiger als die Hafen- und Werftarbeiter, oder der Erste Bürgermeister mit seinem ehrwürdigen Senat, sind Hamburgs Schleusenmeister. Sie sorgen dafür, dass der Rathausmarkt nicht absäuft. Dass der Jungfernstieg nicht nur schwimmend zu überqueren ist. Und in Winterhude und Uhlenhorst die Kanäle nicht überschwappen. Die Alster und der Alstersee entwässern ein Oberflächeneinzugsgebiet, das weit nach Süd-Holstein reicht. Nach Schietwedder mit Starkregen, wenn die Böden das Wasser nicht mehr aufnehmen, können die Pegel von Außen- und Binnenalster mächtig steigen. Das müssen die Schleusenmeister regulieren. »Wasser ziehen« nennen sie das Ablassen des Wassers.

Wer auf der Schleusenbrücke steht, hat nur Augen für das Rathaus und den Rathausmarkt, dem Markusplatz in Venedig nachempfunden. Die Schleuse unterhalb wird kaum beachtet. In der Regel soll der Pegel des Alstersees um drei Meter pendeln. Das ist ideal für die Flotte der weißen Alsterdampfer, die teils schon mit Brennstoffzellen oder Solarstrom fahren. Und das schafft für Ruderer und Kanuten eine gute Einstiegshöhe an ihren Stegen vorm Bootshaus. Auch bei normalem Zufluss steigt der Pegel des Alstersees um einen Zentimeter in der Stunde. Die Schleusenmeister müssen also täglich »Wasser ziehen«.

Meist passiert das abends, wenn die Schifffahrt eingestellt ist. Das Schauspiel kann man gut beobachten von der Marion-Gräfin-Dönhoff-Brücke aus, die das Alsterfleet quert. Langsam öffnen sich die Schleusentore. Aus dem Staubecken davor, der Kleinen Alster, stürzt das Wasser ins anderthalb Meter tiefere Alsterfleet, rauscht wie ein Wildbach durch die einen Kilometer entfernte Schaartorschleuse an der Alstermündung in die Elbe. Diese Schleuse ist gleichzeitig Bollwerk. Bei Sturmflut verteidigt es die Stadt. Entlang des Westufers des Alsterfleets verläuft ein Fußweg. Viele Hamburger sind ihn noch nie gegangen.

Adresse Alsterarkaden / Schleusenbrücke, 20354 Hamburg | Hochbahn S 1, S 2, S 3, U 1, U 2, U 4, Bus 5, 19, Haltestelle Jungfernstieg; Bus 16, Haltestelle Rathausmarkt | Schleusenzeiten Okt.–März täglich 6–18 Uhr, April–Sept. täglich 6–22 Uhr | Tipp Hygieia, Göttin der Gesundheit und Namensgeberin der Hygiene, ist Mittelpunkt des Brunnens im Rathausinnenhof. Das Wasserkunstwerk erinnert an eine Cholera-Epidemie. 8.500 Menschen starben, weil der Senat das Rathaus teuer verzieren ließ, sich um sauberes Wasser aber nicht scherte.

54__Das Schiff

Bullaugen und Backsteinpantoffeln

Ihrem Affenfelsen an der Außenalster, wegen der verschachtelten Terrassen des Gebäudes so genannt, haben die Mitarbeiter des Verlags Gruner + Jahr anfangs nachgetrauert. Obwohl: Hier hatten das Management, ein durchgeknallter Reporter und wenige kritiklose Redakteure des Magazins stern – vorbei an der Chefredaktion – den vermeintlichen Knüller, die gefälschten Hitler-Tagebücher, eingetütet. Die Geheimaktion »Grünes Gewölbe« wurde die größte Schande der Unternehmensgeschichte. Aber der Neubau hinterm Michel war eben auch sehr gewöhnungsbedürftig. Zwar mit Elbblick, zumindest für wenige. Jedoch von bayerischen Architekten geplant.

Sie hatten den Auftrag, auf dem Filetgrundstück einen Bürokomplex zu bauen, der demokratisch, also transparent sein sollte. Eine Medienwerkstatt für stern, Brigitte, GEO und die anderen Titel. Die Planer entwarfen ein fünfgeschossiges Ensemble, dessen vier Gebäudeteile parallel, durch Quergänge verbunden, im rechten Winkel auf die Elbe zulaufen. Sie stehen auf gespreizten Stelzen, was an das gegenüberliegende Viadukt der Hochbahn (siehe Ort 10) und die Kräne im Hafen erinnert. Die Stelzen stecken in Backsteinpantoffeln. Die grauen Gebäude sind mit Titanzinkblech verkleidet. Von Schiffsbrücken und Relings umrundet. Fenster wie Bullaugen unterstreichen den maritimen Anspruch. Die Fassade soll einem Ozeandampfer ähneln. Vier Schiffe liegen hier nebeneinander.

Der markante Bau ist gerade mal 30 Jahre alt, steht wegen seiner Originalität schon unter Denkmalschutz. Der US-Immobilienentwickler Tishman Speyer, der in New York schon das Rockefeller Center und das Chrysler Building sanierte, hat ihn gekauft. Man will das Erdgeschoss mit Manufakturen und Gastronomie beleben, zur Michelwiese hin öffnen. Gruner + Jahr, jetzt RTL-Tochter und nach dem Verkauf etlicher Titel teils seiner Seele beraubt, zieht nun in ein Charakterlos-Gebäude in der HafenCity.

Adresse Am Baumwall 11, 20459 Hamburg, Tel. 040/37030 | **Hochbahn** U 3, Bus 2, Haltestelle Baumwall | **Öffnungszeiten** In der Lobby gibt's immer wieder Ausstellungen. | **Tipp** Vor dem Schiff steht unterm Viadukt ein Siel-Einsteigehäuschen, Baujahr 1904. Man hat es für Kaiser Wilhelm II. errichtet, der mit dem Boot Hamburgs Kanalisation erkunden wollte. Sie galt als die modernste Europas. Ein unterirdisches Umkleidezimmer für Seine Majestät wurde vor Kurzem wiederentdeckt.

55 Die Tänzerriege

Stapelmännchen am Brahms Kontor

Der Bildhauer selbst ist unverdächtig. Karl Opfermann gehörte der Novembergruppe an, einer Künstlervereinigung um Max Pechstein und Otto Dix, die ihren Namen von der Novemberrevolution von 1918 ableitete. Soziale Verbesserungen waren ihr Ziel. Opfermann-Skulpturen wurden 1937 als »entartete Kunst« beschlagnahmt. Die nackten Männer am Brahms Kontor hat er vorher modelliert. Eine Auftragsarbeit. Der Deutschnationale Handlungsgehilfen-Verband schmückte damit seinen Neubau. Die Organisation war eine völkische Angestelltengewerkschaft mit Krankenkasse und Versicherung. Frauen und Juden durften nicht Mitglieder werden. Der antidemokratische Verband bekämpfte die Weimarer Republik. Sollten die Muskelpakete mit breitem Kreuz die Boten des kranken arischen Gedankenguts sein?

Ungewöhnlich ist die Anordnung der Nackedeis, »Tänzerriege« heißt die Gruppe. Vor der strengen Fassade am Holstenwall posieren die Bronzefiguren übereinander. Jeweils ein Stockwerk hoch, bei einer Raumhöhe von vier Metern. Als man das Bürohaus 1930 baute, stockte Hamburg der Atem. Europas höchstes Stahlskelettgebäude wuchs auf 52 Meter. 15 Etagen! Damals der größte Profanbau der Stadt. Genau 699.840 Backsteine wurden verbaut. Hoffentlich hat sich keiner verzählt. Im Foyer Zigtausende goldene Fliesen an der Decke. Die Wände sind feuerrot gekachelt, Treppen und Fußböden mit azurblauen und gelben Keramiken ausgelegt. Eine üppige Interpretation luxuriösen Art décos.

Das Kontorhaus wird heute von der Gewerkschaft ver.di als Büro- und Seminarhaus verwaltet. Regisseure lieben die ungewöhnliche Kulisse. Oscar-Preisträger Philip Seymour Hoffman und Willem Dafoe haben hier für »A most wanted man« vor der Kamera gestanden. Der Politthriller »Die SPIEGEL-Affäre« wurde gedreht. Von den Konferenzräumen aus hat Helmut Schmidt 1962 die Rettung nach der großen Flut orchestriert. Mit Brahms hat das Haus nichts zu tun.

Adresse Johannes-Brahms-Platz 1, 20355 Hamburg | Hochbahn U 1, Haltestelle Stephansplatz; U 2, Haltestelle Gänsemarkt; Bus 3, 35, 36, 112, Haltestelle Johannes-Brahms-Platz | Tipp An der Ostfassade steht Bronzeelefant Anton mit Reiter. Unklar ist, ob er mit kolonialistischer Gesinnung der Bauherren zu tun hat. Die Hamburger lieben ihren Anton (Pilatuspool 2).

56 Der Große Wall

… und Pulvermanns Grab

Abrupt stoppt die Stute. Auf der Kante des Walls zeigt sie einen zittrigen Angst-Tanz, sucht nach festem Tritt. Vor ihr geht es drei Meter in die Tiefe. Hat das Pferd den Mut? Hat es genug Vertrauen zum Reiter? Oft ist hier das Ende des Ritts. Spektakuläre Abrutscher und Stürze hat man gesehen. Ist der Abgrund überwunden, bleibt nur ein Galoppsprung bis zum nächsten Hindernis. Die weiße Planke liegt 1,65 Meter hoch, wird oft gerissen.

Der Parcours des Deutschen Spring-Derbys ist der vielleicht schwerste der Welt, hat magische Anziehungskraft auf die Elite des Pferdesports. 1920 wurde er zum ersten Mal gestellt, ist seither nahezu unverändert. Erst 13 Jahre später gelang Harald Momm auf Fuchswallach Baccarat der erste fehlerfreie Umlauf. Ein Jahr darauf war Irmgard von Opel auf Schimmelhengst Nanuk erste Siegerin. Der Parcours ist mit 1.250 Metern ungewöhnlich lang, hat 17 Hindernisse. Der »Große Wall« ist eine der größten Herausforderungen. Die »Irischen Wälle« gehören dazu, Hürden, welche die Pferde sonst das ganze Jahr über nicht sehen. Das Pferd von Weltmeister und Olympiasieger Hans Günter Winkler hat versucht, lieber unter den »Eisenbahnschranken« durchzukriechen, als darüber zu springen.

Erdacht hat den Parcours Eduard Pulvermann. Er war Jagdreiter und Kaufmann. »Pulvermanns Grab« heißt ein Hindernis, das es in sich hat. Es geht los mit einem Steilsprung. Dahinter fällt das Gelände ab, die Pferde sehen nur Wasser in einem breiten Graben. Nach zwei Galoppsprüngen die nächste Barriere, die steil zu überwinden ist. Pulvermann selbst hat dieses Hindernis nie fehlerfrei geschafft.

Eine Gedenktafel erinnert an den Schöpfer des Parcours, an dem auch die SS-Reiterstaffel in den 1930er Jahren Gefallen fand. Weil Pulvermanns Großeltern jüdischen Glaubens waren, haben die Nazis ihn ins KZ gesteckt. 1944 starb er entkräftet im Gefängnislazarett Langenhorn.

Adresse Jürgensallee / Baron-Voght-Straße 71, 22609 Hamburg | Hochbahn S 1, S 11, Haltestelle Klein Flottbek; Bus 112, 115, Haltestelle Baron-Voght-Straße Mitte | Öffnungszeiten Termine unter www.hamburgderby.de | Tipp International geht es auch am nahen Seegerichtshof zu. Die Richter kommen aus 21 Staaten. Deutschland gehört nicht dazu (Am Internationalen Seegerichtshof 1).

57__Luzifers Kiosk

Lieblingsort zwischen Himmel und Hölle

Teufel! War das eine sumpfige Gegend! Der wasserreiche Quellentaler Bach ergoss sich hier in die Elbe. Das Flüsschen Flottbek. Immer wieder versanken die Fuhrwerke im Morast. Schließlich entschieden die Bürger: Eine Brücke muss her! Ein Zimmermann übernahm den Auftrag. Doch auch seine Fundamente versanken im Schlamm. Da tauchte der Satan auf. Er bot an, die Brücke zu bauen. Unter einer Bedingung: »Wer zuerst die Brück betritt, muss dafür in die Hölle mit!« Der Teufel hielt sein Versprechen. Feierlich sollte das Bauwerk eingeweiht werden, der Pastor kam, um es zu segnen. Bevor er nun die Brücke betreten konnte, hoppelte ein aufgeschreckter Hase darüber. Der Teufel war der Gelackmeierte. In seiner Wut sprang er in die Elbe. Das Wasser soll über die Ufer getreten sein.

So soll Teufelsbrück zu seinem Namen gekommen sein. Teufelsbrück heißt auch der Yachthafen hier und der Anleger, an dem die Fähren 62 und 64 festmachen. Zwischen Himmel und Hölle muss sich entscheiden, wer auf dem Ponton etwas verzehren möchte. Im ersten Stock eines Pavillons ist im Restaurant Engel weiß eingedeckt, es wird Rotbarsch auf der Haut gebraten mit Senfkaviar serviert. Unten gibt es am Imbiss Fischbrötchen, die angeblich besten Pommes der Stadt und den Eintopf des Tages. »Luzifers Kiosk« nennen Stammgäste die geliebte Bude. Man rückt sich den Stuhl in die Sonne und genießt. Und wenn bei Südwestwind ein Beluga-Transportflieger von Nordost die Airbus-Piste auf der anderen Elbseite ansteuert, dabei im Tiefflug über dem Kiosk schwebt, weiß man: Hier ist man dem Himmel näher als der Hölle.

Ein Reh muss der Teufel geritten haben. Es sprang bei Teufelsbrück in die Elbe, deren Strömung tödlich ist. Vom Baden wird dringend abgeraten. Bevor die Wasserwacht den Waldbewohner retten konnte, kletterte er auf der anderen Stromseite in Finkenwerder an Land. Die Elbe ist hier 600 Meter breit.

Adresse Fähranleger Teufelsbrück, Höhe Elbchaussee 303, 22609 Hamburg, Tel. 040/824187 (Restaurant und Kiosk) | Hochbahn Bus 21, 36, 111, 286, Haltestelle Teufelsbrück; Fähre 62, 64, Anleger Teufelsbrück | Öffnungszeiten Kiosk: täglich 12–18 Uhr bei schönem Wetter, Restaurant: Mi–Fr 15–23 Uhr, Sa, So 13–23 Uhr | Tipp Am Ufer erinnert eine Statue an die Legende. »Der Teufel grübelt über sein Karnickel«, so die Inschrift. Sechs Exemplare wurden gestohlen. Das aktuelle wiegt über eine Tonne.

58 Das 1962er-Denkmal

Hamburg schläft, als die Flutwelle kommt

Zwei massige Steinwürfel, leicht abgeschrägt, markieren den Zugang zum Gräberfeld. Zwischen ihnen klafft eine Lücke. Die Brocken symbolisieren den Bruch der Deiche. Am Ende eines Weges sind vor vier schwarzen Stelen 96 Sturmflutopfer von 1962 beigesetzt. Menschen, die keiner identifizieren konnte. Die keine Angehörigen hatten. Die gemeinschaftlich beerdigt werden sollten. Gedenktafeln erinnern an die 221 weiteren Hamburger Toten. Sie haben auf anderen Friedhöfen Ruhe gefunden. Seitlich laden Bänke ein, sich zu erinnern.

Freitagabend, der 16. Februar. Wer damals schon einen Fernseher hat, schaut die beliebte Serie »Familie Hesselbach«. Für eine Warnung der Meteorologen vom Hydrographischen Institut wird das Programm nicht unterbrochen. Ein kurzer Hinweis wird erst im Anschluss ausgestrahlt. Dass Deiche brechen könnten, sagt keiner. Kurz nach Mitternacht – Hamburg schläft – brechen die Deiche an 60 Stellen. Die Elbinsel Wilhelmsburg trifft es am schlimmsten. Dort leben in einer tief liegenden Kleingartenanlage viele Ausgebombte in Behelfsunterkünften. Die mehrere Meter hohe Schwallwelle eiskalten Brackwassers spült sie in die Keller, wo sie ertrinken. Andere werden von einstürzenden Häusern erschlagen. Manche retten sich auf die Dächer oder in Bäume. Am Morgen koordiniert Innensenator Helmut Schmidt die Rettungsaktion mit internationaler Hubschrauberstaffel. Aber für 207 Wilhelmsburger kommt jede Hilfe zu spät. Die Leichen werden auf der Eisbahn im Park Planten un Blomen gesammelt.

Nicht nur Hamburg weint. Aber sechs Jahrzehnte später berichten Überlebende auch Anekdotisches. Von dem 80-Jährigen, der sein Haus nicht verlassen wollte. Die Retter mussten ihn mit Gewalt aus dem Fenster ins Schlauchboot ziehen. Opa flehte nach einem verschnürten Karton. Man vermutete Wertvolles darin, wichtige Dokumente, und suchte die Schachtel. Trockene Socken lagen darin.

Adresse Mittelallee (Planquadrat Bq62 im Friedhofsplan, im Infozentrum am Haupteingang Fuhlsbüttler Straße 756 fragen), 22337 Hamburg | Hochbahn U 1, S 1, Haltestelle Ohlsdorf; Bus 170, 270, Haltestelle Friedhof Ohlsdorf Kapelle 12 | Öffnungszeiten für Fußgänger 7–21 Uhr, für Autos April–Okt. 9–21 Uhr, Nov.–März 9–18 Uhr; Infozentrum: Mo–Do 9–16 Uhr, Fr 9–15 Uhr | Tipp Nur wenige Wege westlich liegt der Prökelmoor-Teich im Norden des Ohlsdorfer Friedhofs. Er ist der größte Parkfriedhof der Welt mit 17 Kilometern Straßennetz.

59 Der Primus-Gedenkort

Kilometerweit rote Fahnen

Es ist eine ausgelassene Gesellschaft. Den Sommerausflug mit Tanzvergnügen hat der sozialdemokratische Gesangsverein »Treue von 1887 zu Eilbeck« diesmal ins Alte Land gemacht. Die Arbeiter und Handwerker haben ihre Frauen dabei, viele auch die Kinder. Gegen Mitternacht geht es mit dem Raddampfer Primus zurück über die Elbe. 206 Menschen sind an Bord, nur für 172 Passagiere ist das Schiff zugelassen. Der altersschwache Dampfer kommt elbaufwärts nur mit Mühe gegen die Strömung im südlichen Fahrwasser an. Kapitän Johannes Peters entscheidet, ans Nordufer zu wechseln. Hier herrscht weniger Strömung. Aber die Primus ist jetzt als Geisterfahrer unterwegs. Diese Fahrrinne ist Schiffen mit Kurs auf die Elbmündung vorbehalten.

Die Musikkapelle an Bord spielt gerade den Gassenhauer »Nach Hause geh'n wir nicht«, die Menschen grölen – da erschüttert ein heftiger Stoß die Primus. Der Frachter Hansa hat den Raddampfer steuerbords erwischt. Die Schiffe verkeilen sich, dann löst sich die Primus. Der Hansa-Steuermann versucht noch, den Havaristen näher ans Ufer zu drücken. Aber es sind immer noch 40 Meter. Kellner Emil Eberhard, 19 Jahre alt, schafft es, zunächst seine Verlobte Auguste zu retten. Dann vier weitere Frauen. Als er noch einmal umkehrt, um Kinder zu holen, sinkt die Primus. Eberhard ertrinkt in dem Strudel. Beim größten Schiffsunglück auf der Elbe sterben am 21. Juli 1902 über hundert Menschen. Noch drei Jahre später werden Tote angespült, die dem Untergang zugeordnet werden können.

Hamburg hat nie einen größeren Trauerzug gesehen. Als die Särge vom Hafen zum Ohlsdorfer Friedhof getragen werden, säumen Hunderttausende mit roten Fahnen die Straßen. Unter einer Christusstatue sind in Reihen Grabplatten verlegt. Auch die für Martha und Albert Lübke. Sie sind neben ihren Kindern Anna und Albert beerdigt, sie wurden 13 und acht Jahre alt. Die ganze Familie – ausgelöscht.

Adresse zwischen Mittelallee und Kapellenstraße (Planquadrat U31 im Friedhofsplan, im Infozentrum am Haupteingang Fuhlsbüttler Straße 756 fragen), 22337 Hamburg | **Hochbahn** U1, S1, Haltestelle Ohlsdorf; Bus 170, Haltestelle Mittelallee | **Öffnungszeiten** für Fußgänger 7–21 Uhr, für Autos April–Okt. 9–21 Uhr, Nov.–März 9–18 Uhr; Infozentrum: Mo–Do 9–16 Uhr, Fr 9–15 Uhr | **Tipp** Zurück zur Mittelallee, zweimal links: Das schlichte Grab von Helmut und Loki Schmidt ist ausgeschildert.

60 Die blauen Pyramiden

Geschenk des Emirs

Das hat Carpobrotus edulis, die essbare Mittagsblume, nicht verdient! Hottentottenfeige wird sie auch genannt. Das ist rassistisch. Die Buren nannten die indigenen Völker, die sie in Afrika unterdrückten, Hottentotten. Deutsche Kolonialisten übernahmen die Bezeichnung. So kam auch die Hottentottenfeige zu ihrem Namen. Die Pflanze ist im Süden des Kontinents zu Hause, sie ist anspruchslos, kommt auf trockenen Böden gut zurecht. Carpobrotus edulis blüht leuchtend gelb, später pink. Ihre süßsauren, geleeartigen Früchte werden roh verzehrt oder zu Marmelade verkocht.

Carpobrotus edulis gedeiht auch im Wüstengarten, er ist Teil des Botanischen Gartens der Universität. Eine Parzelle des Wüstengartens zeigt die dort typischen Landschaften mit charakteristischen Pflanzen. Eine andere, wie die Menschen schon vor Tausenden Jahren Wasser durch Kanäle in Oasen leiteten, um Getreide und Gemüse anzubauen. Clou des Gartens sind zwei zehn Meter hohe geometrische Körper aus blauem Glas. Eigentlich sollen sie stark stilisiert die Segel einer Dau darstellen, des traditionellen arabischen Segelschiffs. Die Pavillons werden aber nur Pyramiden genannt. Das Blau des Himmels und seine Wolken reflektieren in dem blauen Glas. Das wird als Symbol für Wasser interpretiert, das Lebenselixier der Wüste.

Altkanzlergattin Loki Schmidt (1919–2010) hat die Pyramiden nach Hamburg geholt. Sie sind ein Geschenk von Scheich Zayed bin Sultan Al Nahyan, er war Herrscher von Abu Dhabi und erster Präsident der Vereinigten Arabischen Emirate. Der Emir und Loki Schmidt, Naturschützerin und Pflanzensammlerin mit internationalem Renommee, sollen befreundet gewesen sein. Jedenfalls hat er sie einmal durch seine Palastgärten geführt. Erst standen die Pavillons bei einer Gartenausstellung in Rostock. Danach wurden sie in Hamburg aufgebaut. 2012 hat man den Botanischen Garten in Loki-Schmidt-Garten umbenannt.

Adresse Ohnhorststraße 18, 22609 Hamburg, Tel. 040/42816476 | **Hochbahn** S 1, Bus 21, 112, Haltestelle Klein Flottbek | **Öffnungszeiten** Jan.–Feb., Nov.–Dez. täglich 9–16 Uhr, März–April, Sept.–Okt. 9–18 Uhr, Mai–Aug. 9–20 Uhr; Café Schmidtchen Palme 11–18 Uhr | **Tipp** Die Bronzeplastik am Eingang hat Künstler Waldemar Otto »Adam plündert sein Paradies« genannt. Er beißt in einen Apfel. Anfangs haben Spaßvögel dem nackten Adam immer wieder eine Unterhose aufgemalt. Zuletzt hat man sie nicht mehr entfernt.

61__Der Boxer

Unterwegs mit Hans Dampf

Der bullige gelbe Schornstein mit schwarzem Top pustet dunkle Wolken Abgase in die Luft, wenn die Stettin Fahrt aufnimmt. Im Bauch des Schiffes schaufeln Heizer pro Stunde 1.500 Kilo Kohle in die Öfen, um zwei Kessel darüber unter Dampf zu halten. Der Dampf treibt die Maschine an, fast sechs Meter hoch, fünfeinhalb Meter lang. 2.200 PS bringt der Klotz auf den Propeller.

Dieselmotoren sind bei anderen Schiffen längst üblich, als die Stettin 1933 vom Stapel läuft. Die Reeder haben sich trotzdem für die kohlebefeuerte Dampfmaschine entschieden. Nur mit ihr ist es möglich, das Schiff in drei Sekunden von Vorwärts- auf Rückwärtsfahrt umzusteuern. So ist die Stettin gut zu manövrieren. Als Eisbrecher soll sie den Seeweg Stettin / Swinemünde und die Zufahrten zum Haff offenhalten.

Als erstes deutsches Schiff wird der Dampfer mit dem Runeberg-Steven ausgestattet. Statt sich auf das Eis zu schieben und es nur durch das Gewicht des Schiffes zu erdrücken wie die früher gebauten Eisbrecher mit Löffelbug, spaltet ein Schneidspant das Eis. Die spezielle Rumpfform schiebt die Bruchstücke unter die Eisfläche links und rechts der Fahrrinne. So bleibt sie passierbar. Die Stettin kann eine Eisdecke von einem Meter Stärke brechen. Ist das Eis dicker, muss das Schiff »boxen«, mehrmals gegen das Eis anfahren, bis es bricht.

Bis 1981 ist die Stettin auf der Unterelbe, im Nord-Ostsee-Kanal und in der Kieler Bucht im Einsatz. Dann droht der Schmelzofen. Ein Verein kauft den Eisbrecher, macht ihn wieder flott. Als letztes noch betriebsbereites, mit Kohle befeuertes und dampfgetriebenes Seeschiff Deutschlands. Im Sommer werden für Gästefahrten die Öfen angeheizt. Bei der Hanse Sail 2017 in Rostock kollidierte die Frachtfähre Finnsky mit der Stettin, schlitzte den Rumpf auf zwei Meter Länge auf – zum Glück über der Wasseroberfläche. Eine Million Euro hat die Reparatur gekostet.

Adresse Anleger Neumühlen/Museumshafen, Neumühlen 1, 22763 Hamburg, Tel. 040/3906069 und 0172/4222285 | **Hochbahn** Bus 112, Haltestelle Neumühlen/Övelgönne; Fähre 62, Anleger Neumühlen/Övelgönne | **Öffnungszeiten** täglich 10–18 Uhr, Fahrplan unter www.dampf-eisbrecher-stettin.de | **Tipp** Präsident Freiherr von Maltzahn, ein Hochseekutter unter Segeln. Hafendockter, eine Barkasse für den Krankentransport. Im Museumshafen haben drei Dutzend Schiffe und Boote festgemacht.

62_Der Hafenblick

Mit stolzem Sound

Das Lieblingslied der Hamburger ist der Soundtrack des Hafens. Das ewige Klong-Klong. So hört es sich an, wenn Container gestapelt werden. Dazu das Fiepen der 16 Meter hohen Portalhubwagen. Sie warnen, wenn sie in Bewegung sind. Um die von den Schiffen gelöschten stählernen Kisten neu zu sortieren, in Lagern aufzutürmen oder gleich zu verladen für den Weitertransport. Die Endlosmelodie im Technosound ist für manche Auswärtige vielleicht nicht der Hit. Für Hamburger ist sie ein Evergreen. Er erzählt von ihrem Stolz. Von ihrer Identität. Von ihrem Hafen.

Auf Barkassen kann man Hafenrundfahrten machen. Mit eskortierten Bussen Teile der Anlagen erkunden – sonst ist der Hafen Hochsicherheitstrakt. Ein guter Platz, ihn zu spüren, ist der Strand am Museumshafen Ovelgönne. Direkt gegenüber auf der anderen Elbseite der Athabaskakai. Gleich dahinter auf der früheren Elbinsel Waltershof der Burchardkai, benannt nach dem früheren Bürgermeister Johann Heinrich Burchard (1852–1912). Der Burchardkai ist der größte Containerterminal der Hamburger Hafen und Logistik AG (HHLA). Zuletzt hat man in Hamburg im Jahr acht bis zehn Millionen standardisierte Transportkisten gezählt.

Vom Strand aus ist gut zu sehen, wie die ganz dicken Pötte rückwärts in den Hafen Waltershof manövrieren. Sie machen fest unter den Ladekranen am Kai, Containerbrücken genannt. Sofort beginnt das Löschen der Fracht. Die bislang größten Brücken konnten Schiffe mit einer Breite von 24 Containern nebeneinander bedienen. Jüngst hat die HHLA aufgerüstet. Die Ausleger der neuen Krane haben eine Länge von 80 Metern, reichen über 26 Container-Reihen. Da kann auch die südkoreanische HMM Algeciras kommen, ein Schiff der Megamax-Klasse, 400 Meter lang, 61 Meter breit. Mit Platz für 24.000 Container. Das erste Containerschiff im Hamburger Hafen wurde 1968 abgefertigt. Die American Lancer war mit 1.200 Blechkisten bepackt.

Adresse Strand von Övelgönne, 22605 Hamburg | **Hochbahn** Bus 112, Haltestelle Neumühlen/Övelgönne; Fähre 62, Anleger Neumühlen/Övelgönne | **Tipp** Direkt unter dem Strand verlaufen die acht Spuren der A7. Auf dem Platz am Ostende des Strandes ist ein Tübbing aufgestellt. Aus solchen Elementen wurden die Röhren des Elbtunnels gefertigt. Das Bauwerk auf dem Platz ist Lüftungsschacht und Notausgang des Durchstichs.

63 Die Lotsensiedlung

Quartier der Wassermänner

Niemand hat sich früher an diesen Ort auch nur verlaufen. Der Gestank hat ihn aufgehalten. Transieder kochten in großen Kesseln am Strand den Blubber aus, den Speck von Walen und Robben. Mit dem so gewonnenen Öl hat man Straßenlaternen befeuert. Die Trankocher zogen die Leimsieder an, deren Handwerk auch nicht der Nase schmeichelt. Sie konnten die Grieben gebrauchen, die Reste vom ausgekochten Speck. Dann zimmerten Werftarbeiter hier Boote. Zunehmend wurde der steile Elbhang besiedelt. Lotsen und Fischer kamen, später auch die Kapitäne. Die Wassermänner konnten nicht ohne den Blick auf den Fluss.

Von der Elbchaussee führen die enge Gasse Schulberg mit bis zu 22 Prozent Gefälle und die Treppe Himmelsleiter mit 126 Stufen den Hang hinunter nach Övelgönne. So ist dieser Abschnitt des Elbstrands benannt. Övelgönne heißt auch der schmale Fußweg oberhalb, etwa tausend Meter lang, der die Häuserzeile der Schiffsführer von den davor liegenden Gärten trennt. Für die Seeleute waren diese kleinen Paradiese ihre »Heimwehgärten«. Grüne Logenplätze mit Blick auf das Hafentheater gegenüber. In Övelgönne wohnt, wer es sich leisten kann. Oder wer Künstler und Lebenskünstler ist. Der Zeichner Albert Schindehütte hat in einem alten Waschhaus sein Hinterhofatelier. Der Lyriker Peter Rühmkorf (1929–2008) lebte in Haus Nummer 50. Seinen Namen hat man in die Ringelnatztreppe eingraviert. Das war Rühmkorfs letzter Wunsch.

Nach einer von mehreren Deutungen kommt der Name Övelgönne von »övel gönnt« (übel gegönnt). Er soll sich auf die Missgunst der Nachbarn in Ottensen beziehen. Die Övelgönner mit ihrer flussnahen Wohnlage konnten schneller wertvolles Strandgut einsammeln, das die Elbe freigab. Wer heute in Övelgönne wohnt, muss für eine Zweizimmerwohnung mit Dachterrasse, 65 Quadratmeter, 2.300 Euro Miete zahlen. Kalt. Für diesen Preis sei ihm die schöne Aussicht gerne gegönnt.

Adresse Övelgönne, 22605 Hamburg | Hochbahn Bus 36, Haltestelle Liebermannstraße; Bus 112, Haltestelle Neumühlen/Övelgönne; Fähre 62, Anleger Neumühlen/Övelgönne | Tipp Was man aus einer alten Schippe und Spatenblättern machen kann! Am Gartenzaun von Haus Nummer 60 überraschen Rüsselgesichter.

64 Der Reemtsma-Park

Im Badeteich des Zigarettenkönigs

Beim Brettspiel-Klassiker Monopoly sind die Schlossallee und die Parkstraße die teuersten Adressen. Wer die Spielkarten dieser Grundstücke hat und möglichst viele Klötzchenhäuser darauf, kann bei den Mitspielern abkassieren. Ein Vermögen hat auch Philipp Fürchtegott Reemtsma für ein paar Grundstücke zwischen der Parkstraße und der Straße Holztwiete ausgegeben. Das Gelände ist so groß wie neun Fußballplätze.

Der Unternehmer und Kunstmäzen konnte sich das leisten. Die Reemtsma Cigarettenfabriken waren in der Weimarer Republik der bedeutendste Zigarettenhersteller, beherrschten den Markt. Philipp Fürchtegott Reemtsma (1893–1959) engagierte den berühmten Martin Elsaesser als Architekten. Er sollte ihm ein spektakuläres, modernes Landhaus bauen. »Haus K. in O.« hieß das Projekt anonymisiert. Haus Kreetkamp in Othmarschen. Das Grundstück grenzt südlich an den Verbindungsweg Kreetkamp. Elsaessers avantgardistische Bauideen machten die Villa zu einem der teuersten Privatwohnhäuser Europas. Der Architekt verschob ein- bis dreigeschossige Quader ineinander, verkleidete sie mit grünlichen Kacheln. Die repräsentativen Räume im Erdgeschoss umfassten 900 Quadratmeter, auf 600 Quadratmetern wohnte die Familie im Obergeschoss. Die Decke des Esszimmers war mit Blattgold belegt. Die Gartenfront auf ganzer Länge verglast. Mithilfe von 66 Motoren ließen sich die Fenster im Boden versenken.

Heute darf jeder den südlichen, vielen unbekannten Teil des Reemtsma-Parks nutzen. Die ganze Pracht des Anwesens blieb damals verborgen. Der Gartenreformer Leberecht Migge (siehe Ort 21) hatte die Anlage gestaltet. Mit Reitgarten und Pferdestallungen. Mit Rosenhof und Wildblumengarten. Mit Badeteich samt Sandstrand und Wasserrutsche, Boccia- und Tennisplatz. Mit Gemüsegarten und Gewächshaus. Nach dem Zweiten Weltkrieg wohnten britische Offiziere in der Villa. Die Reemtsmas sind nie wieder eingezogen.

Adresse Holztwiete/Parkstraße 51 (Villa), 22605 Hamburg | **Hochbahn** S 1, Haltestelle Othmarschen; Bus 112, Haltestelle Parkstraße; Bus 215, Haltestelle Holztwiete | **Tipp** Auf der anderen Seite der Holztwiete liegt der Jenischpark, benannt nach Martin Johann Jenisch, Senator in Hamburg. Mit Ernst-Barlach-Haus und Eduard-Bargheer-Museum. Die Eiche beim Museum Jenisch-Haus hat einen Umfang von mehr als acht Metern.

65 Die vier Männer auf Bojen

Wackeln wie die Wellenreiter

Der Kerl ist eine schwankende Gestalt. Hat keinen festen Boden unter den Füßen. Kippt nach vorn und wieder zurück. Neigt sich nach links und mal nach rechts. Dreht sich ein wenig. Sein Bewegungsdrang ist abhängig vom Wellengang und vom Schwell der vorbeiziehenden Schiffe. Dabei bleibt der Mann immer kerzengerade. Er ist ein Durchschnittstyp. Mittleres Alter. Braune Haare. Schwarze Hose. Weißes, langärmeliges Hemd. Den Blick hat er in die Ferne gerichtet. Gelassen wackelt er auf seiner Flachwassertonne. Dabei geht es ihm manchmal echt beschissen. Wenn Möwen auf seinem Kopf eine Flugpause eingelegt haben.

Vier solcher Wackelmänner hat der Bildhauer Stephan Balkenhol geschaffen. Außer auf der Elbe vor Övelgönne werden sie auf der Süderelbe in Harburg östlich der Brücke des 17. Juni, im Bergedorfer Hafen Serrahn und auf der Außenalster nahe der Gurlitt-Insel auf ihren Bojen an die Ankerkette gelegt. Vom Frühjahr bis zum Herbst. Das Outfit der Typen ist immer gleich. Nur in der Haltung der Arme unterscheiden sie sich. Mal baumeln sie einfach herunter. Mal sind sie vor der Brust verschränkt. Beim dritten sind die Hände übereinandergelegt. Beim vierten in die Hüften gestützt. Bei keinem der Kerle ist im Gesicht eine Emotion abzulesen. »Meine Skulpturen erzählen keine Geschichten«, sagt Stephan Bankenhol. »In ihnen versteckt sich etwas Geheimnisvolles. Es ist nicht meine Aufgabe, es zu enthüllen, sondern die des Zuschauers, es zu entdecken.«

Die ersten »Vier Männer auf Bojen« hat Balkenhol, Professor an der Akademie der Bildenden Künste in Karlsruhe, mit dem Beitel aus Eichenholz gehauen. 1993 wurden sie installiert. Am Anfang riefen Passanten Feuerwehr und Polizei. Sie glaubten, Selbstmörder seien auf den Gewässern unterwegs. Die Jahre, die Witterung und die Möwen haben den Wackelmännern zugesetzt. Die zweite Generation hat der Künstler aus Aluminium gießen lassen.

Adresse auf der Elbe, Höhe Bistro Strandperle, Övelgönne 60, 22605 Hamburg | **Hochbahn** Bus 112, Haltestelle Neumühlen / Övelgönne; Fähre 62, Anleger Neumühlen / Övelgönne | **Öffnungszeiten** März – Nov. zu sehen | **Tipp** Die Strandperle hat als Milchhalle angefangen, ist jetzt cooler Szeneladen und Beachclub. Leider oft überlaufen.

66 Die bahn_hoefe

Schwermut lässt sich operieren

Immer wuchtiger ist das Backsteingebäude über die Jahrhunderte geworden. Die Königlich Preußische Eisenbahndirektion war hier untergebracht, die Reichsbahndirektion, die Bundesbahndirektion. Der Komplex mit seinen Anbauten nimmt eine Fläche von 60 mal 125 Metern in Anspruch. Das Hauptgebäude mit unterschiedlicher Geschosszahl umfasst vier Flügel parallel zur Museumstraße. Lange Seitenflügel verbinden diese, so sind drei große Innenhöfe entstanden. Das Ensemble steht auf Ottenser Grund, grenzt aber mit der Nordfront am Paul-Nevermann-Platz an Altona-Altstadt. Die Menschen haben den Klinkerbau deshalb den »Koloss von Altona« genannt. Ein undurchdringlicher Störfaktor mitten im lebendigen Viertel. Städteplaner attestierten dem Klotz eine »latente Schwermut«.

Bis Investoren, Architekten und Denkmalschützer sich daran machten, den Komplex zu zerlegen und transparent zu gestalten. Ihn zu verjüngen. Neue Ein- und Ausgänge wurden geschaffen. Viel Glas hat man verbaut, die historische Bausubstanz so hervorgehoben und zu neuem Leben erweckt. Die Innenhöfe sind nun teils für Passanten geöffnet. Den Mittelhof überspannt ein filigranes Glasdach. Hier ist der zentrale Zugang mit Bauminseln, Empfangsbereich und Concierge. Eine private Hochschule für Gestaltung ist eingezogen. Logistiker, Softwareentwickler, Kommunikationsdesigner, Marketingexperten und eine Personalberatung verteilen sich auf die bahn_hoefe. Die Stage School unterrichtet zukünftige Balletttänzer und Musicalstars. In einem Seitentrakt wohnen Studentinnen und Studenten. Läden und Bistros ergänzen das Konzept. Auf 30.000 Quadratmetern kann man hier arbeiten, schauspielern, lernen, wohnen, tanzen, einkaufen, sich treffen.

»Es ging um eine chirurgische oder besser gesagt eine endoskopisch-chirurgische Operation einer zu groß gewordenen Baumasse«, sagen die Architekten über ihr Projekt. Die Operation ist gelungen!

Adresse Winterstraße 2/Museumstraße 39/Am Felde 56/Paul-Nevermann-Platz, 22765 Hamburg | Hochbahn S 1, S 31, Bus 1, 2, 15, 20, 25, 37, 111, 112, 150, 183, 283, 288, Haltestelle Altona | Öffnungszeiten Hof 2 ist von der Winterstraße aus zu üblichen Bürozeiten geöffnet. | Tipp Gallionsfiguren, Spannendes zum Walfang und ein Wolkentheater: Entdeckertour durch Norddeutschland im Altonaer Museum (Museumstraße 23, geöffnet Mo, Mi–Fr 10–17 Uhr, Sa, So 10–18 Uhr).

67 Klopstocks Grab

... und die Suppenschüssel

Goethe. Schiller. Hölderlin. Klar! Aber wer kann heute noch etwas anfangen mit Friedrich Gottlieb Klopstock? Von den Lehrplänen der Gymnasien ist der Dichter längst verschwunden. Seinerzeit war er der Star der literarischen Szene. Als er vor dem Südportal der Christianskirche beigesetzt wurde, war das ein nationales Ereignis. 50.000 Menschen folgten dem Trauerzug. Der Chronist Friedrich Lorenz Meyer schrieb: »Zwischen acht Ehrenanführern mit Marschallstäben gingen vor dem vierspännigen Leichenwagen drei Jungfrauen, das Haupt mit Eichenblättern und Rosen bekränzt, in weißen Gewändern und Schleiern. Sie trugen dem Toten Körbe mit knospendem Laub und Blumen des Frühlings voran.« Die Glocken der Hamburger und Altonaer Kirchen vereinigten sich zum Trauergeläut.

Klopstock (1724–1803), ältestes von 17 Kindern, gilt als wichtiger Vertreter der »Empfindsamkeit«. Er war Wegbereiter des »Sturm und Drang« von Goethe oder Schiller. Klopstocks Poesie war ungewohnt. Die Musikalität, der Rhythmus von Texten – er war Erneuerer der Sprache. Das Gesangsepos »Messias« in Hexametern ist sein wichtigstes Werk. 20.000 Verse, in 25 Jahren verfasst. Da muss man erst mal durch. Kollege Lessing kritisierte: »Wer wird nicht einen Klopstock loben? Doch wird ihn jeder lesen? Nein! Wir wollen weniger erhoben und fleißiger gelesen sein.«

Klopstock liegt unter einer uralten Linde neben seiner ersten Frau Meta mit dem totgeborenen Sohn und seiner zweiten Frau Johanna, Nichte von Meta. Das Grabdenkmal zeigt eine Allegorie der trauernden Religion. Darunter steht: »Deutsche, nahet mit Ehrfurcht und mit Liebe der Hülle Eures grösten Dichters.« So verehrt wurde er, dass Reiche unbedingt in seiner Nähe begraben werden wollten. Vor der Klopstock-Grabstätte ist Kaufmann Samuel Thornton beerdigt. Die steinerne Urne des Grabmals ist einer Suppenschüssel ähnlich. Im Volksmund ist dies das »Grab des Suppenkaspers«.

Adresse Klopstockstraße, 22765 Hamburg, Tel. 040/3986170 (Kirchenbüro) | Hochbahn S 1, S 2, S 3, Haltestelle Bahnhof Altona; Bus 1, 2, 23, 15, 250, Haltestelle Rathaus Altona | Öffnungszeiten Andacht und Kirchenführung Do 12–14 Uhr | Tipp Die 42 Glocken im Turm der Kirche sind Deutschlands ältestes Carillon, ein von Hand gespieltes Glockenspiel (jeder 1. Sa im Monat ab 15.30 Uhr).

68 Die Klunkerturm-Kuppel

Schöner wohnen in der »größten Urne der Welt«

Große Trawler haben hier festgemacht. Fisch wurde ausgeladen, den man auf der Nordsee gefangen hatte. Frachter brachten Rindfleisch aus Argentinien und gefrorene Butter. Das »Kühlhaus Union« mit zwölf Etagen war in den 1920er Jahren eines der größten Europas. Der quadratische Klotz aus Backsteinen und mit Traufkante, von Dreieckgiebeln geziert, galt als ungewöhnliches Beispiel moderner Hafenbauten, wurde bald nach Inbetriebnahme unter Denkmalschutz gestellt. Heute sitzen Silberköpfe auf den Sofas im Foyer, vor ihnen sind in Reihe die Gehwagen geparkt. Das Gebäude ist Augustinum Seniorenresidenz.

Viele Hamburger glauben, man habe das Kühlhaus nur entkernt und Apartments eingebaut. Das ist falsch. Das war geplant, ließ sich aber nicht realisieren. 20 Jahre hatte der Klotz leer gestanden. Nachdem die Augustinum-Gruppe ihn erworben hatte, erwies sich das Fundament als nicht mehr tragfähig. Der Kompromiss mit den Denkmalschützern: Abriss und Neubau nach historischem Vorbild. Das erklärt die horizontalen Dekorstreifen im Mauerwerk, die Dreiecksgiebel und warum es keine sichtbaren Balkone gibt. Die beiden untersten Etagen sind flutsicher. Vorsorglich hat man einen Rettungstunnel gegraben. Damit die Senioren nicht nur vor der Glotze sitzen, gibt's neben Wellnessangeboten und Physiotherapie einen eigenen Theatersaal in der Residenz.

»Klunkerturm« wird sie auch genannt. Richtig ist, wer hier wohnen will, hat fürs Alter üppig vorsorgen können. Clou des Hauses ist die reichstagsähnliche Glaskuppel, unter der mittags im Restaurant und Café Elbwarte das Feinkost-Dreigangmenü aufgetragen wird. Wozu die Damen ihr Geschmeide anlegen. Das Café ist auch für Besucher geöffnet. Der Blick von den Schiffen am Burchardkai bis zur Elphi und dem Michel sowie elbabwärts ist nicht zu toppen. Wegen der Kuppel sprechen Lästermäuler auch von der »größten Urne der Welt«. Das ist gemein.

Adresse Neumühlen 37, 22763 Hamburg, Tel. 040/3914999 (Café) | **Hochbahn** Bus 112, Haltestelle Neumühlen / Övelgönne; Fähre 62, Anleger Neumühlen / Övelgönne | **Öffnungszeiten** Café Elbwarte und Kuppel: Mi–Sa 15–18 Uhr | **Tipp** Wer Abwechslung vom Dreigangmenü möchte, rollt zu Nuggis Elbkate auf dem Anleger Övelgönne. Holt sich ein Fischbrötchen und eine Knolle Astra. Lass gut sein!

69__Der Schlepper-Anleger

So wird ein Pott an die Pier genagelt

Das sieht beunruhigend aus, waghalsig, zumindest verwegen. Ist aber Routine. Noch mit zehn Knoten, das sind 18 Stundenkilometer, schiebt sich der 360-Meter-Frachtriese die Elbe hinauf. Für ein mit 13.000 Containern beladenes Schiff kurz vor dem Hafen ein beachtliches Tempo. Ein Kapitän hat seinen Schlepper direkt unter den turmhohen Bug des Giganten manövriert. Zur Bugwulst und der drückenden Bugwelle sind keine drei Meter Abstand. Der Schlepper fährt rückwärts, genau in der Geschwindigkeit des Frachters. Von oben wirft jetzt ein Decksmann die Schmeißleine nach unten. Auf dem Schlepper macht der Mechaniker sie an der Jagerleine fest, an einem kräftigen Tau. Nun holt der Decksmann Wurfleine und Jagerleine ein, legt diese auf eine Winde. Damit wird der Draht nach oben gezogen, so heißt im Jargon die armdicke Trosse aus vielen Tonnen Stahl. Das Schiff ist jetzt angebunden, wie die Männer sagen. Der Bug-Schlepper spannt an, nimmt Abstand. Achtern knoten zwei weitere Schlepper den Ozeanriesen an.

Von den Terrassen zwischen den Glaswürfeln an der Uferpromenade aus lassen sich die halsbrecherischen Manöver bestens beobachten. Am Anleger direkt davor und bei den St. Pauli-Landungsbrücken liegen Hamburgs Abschleppprofis in Warteposition. Sie heißen Resolut, Bison, Boxer, Prompt. Namen, die nach aufgepumpten Kraftpaketen klingen. Das sind sie auch mit ihren 6.000 PS. Diese treiben in eine Gondel eingebaute Ruderpropeller an, die der Käpt'n mit Joysticks um 360 Grad drehen kann. Deshalb können die Schlepper auch Wasserballett.

Der Escort-Service ist Pflicht für große Schiffe. Bei einem Maschinenschaden böten Rumpf und Containergebirge dem Wind eine zu große Angriffsfläche. Die Schlepper ziehen, bremsen, drehen, bugsieren die Dickschiffe auf ihre Parkposition. Die letzten Meter und Zentimeter schieben sie die Schiffe in direktem Kontakt an die Kaimauer. Nageln sie fest.

Adresse Neumühlen 17, 22763 Hamburg, und Bei den St. Pauli-Landungsbrücken (Brücke 10), 20359 Hamburg | Hochbahn Bus 112, Haltestelle Lawaetzhaus; U3, S1, S3, Bus 112, Haltestelle Landungsbrücken | Öffnungszeiten Die Schlepper sind Tag und Nacht im Einsatz. | Tipp Das Lawaetz-Haus ist Sitz der Lawaetz-Stiftung. Johann Daniel Lawaetz (1750–1826) war vermögender Kaufmann und Sozialreformer. Seine Idee: keine Almosen für die Armen und Obdachlosen, aber Hilfe zur Selbsthilfe (Neumühlen 16).

70__Die Billstraße

Vom Schrottbasar nach Afrika

Eine Miele muss es sein. Der libanesische Händler will seinen Namen nicht sagen, nennen wir ihn Bassam. Bassam hat viele gebrauchte Waschmaschinen. Bosch. AEG. Vor allem viele Gefrierschränke von Liebherr. Sie stapeln sich in Reihen zu viert übereinander. Aber eine Miele kann er dem Einkäufer aus Guinea nicht bieten. Der Mann ist Stammkunde, auch er will anonym bleiben. Soll er Tamba heißen. »Heute keine Miele«, sagt Bassam. »Miele am besten«, antwortet Tamba. Weil es also nichts wird mit dem Geschäft, will der Afrikaner morgen wiederkommen. Bassam hat auch am frühen Morgen noch keine Miele. Aber Tamba kauft ihm 40 Gefrierschränke ab. »110 Euro das Stück«, verlangt Bassam. Tamba feilscht, bietet 70. Bei 85 werden sich die Geschäftspartner einig. Cash. An der Billstraße ist das Wichtigste der Geldautomat.

Zwei Kilometer Kopfsteinpflaster und aufgesprungener Asphalt. Links und rechts der Straße alte Lagerschuppen. Schilder, die »Hot Base Import & Export« oder »International Shipping« versprechen. Dazwischen eine Zimmervermietung und der Asia-Imbiss. In den nächsten Tagen werden Tambas Gefrierschränke in einem Container in seine Heimat verschifft.

Vor und in den Schuppen türmen sich ausrangierte Computer, Drucker und Fernsehgeräte, Herdplatten, abgefahrene Autoreifen, Rasenmäher. Im Halteverbot stehen Kleintransporter aus Polen, Litauen, Rumänien, der Ukraine. Dazwischen die neuesten Daimler-Limousinen. Einige Händler dealen mit ausgemusterten Bussen und Zugmaschinen, andere mit Kleinwagen. Toyotas für Kamerun. Volkswagen für Nigeria und die Elfenbeinküste. In Kamerun gibt es keine Ersatzteile für VW.

»In Deutschland ist das alles Müll«, sagt Tamba. »In Afrika können wir das reparieren, es hält noch.« Auf der anderen Straßenseite stopfen schwarze Männer Matratzen in die Autos für den Export. Oft haben sie keine Papiere, arbeiten für die Hälfte des Mindestlohns.

Adresse Billstraße, 20539 Hamburg | Hochbahn Bus 3, Haltestelle Billhorner Brückenstraße; Bus 160, Haltestelle Billstraße 185 | Tipp Die Oldtimer-Tanke von 1953 ist jetzt ein Denkmal. Man trifft sich mit und ohne Oldtimer. Frühstück ab 6 Uhr. Mit Jukebox! (Billhorner Röhrendamm 4).

71__Der goldene Pavillon

»Eine Insel des Lichts«

Im Abendrot glüht die messingfarbene Kiste. Dann entfaltet dieser Ort seine ganz eigene Strahlkraft. In langen Reihen sitzen die Menschen davor, schauen beim Absacker des Tages den Binnenschiffen zu, die durch die Norderelbe pflügen, warten auf die blaue Stunde. Rechts die Silhouette der Elbbrücken, keinen halben Kilometer entfernt. Dahinter die HafenCity. Links das Sperrwerk Billwerder Bucht und die Elbinsel Kaltehofe (siehe Ort 72). Gegenüber die Veddel, der Peutehafen und die Kakaofabrik.

Die Halbinsel Entenwerder im wilden Osten Hamburgs hatte lange keiner auf dem Plan. Früher kontrollierten Zöllner hier Schiffe, die in den Oberhafen und die Speicherstadt wollten. Später haben Schausteller das Gelände als Winterlager genutzt. Am Ende des vergangenen Jahrhunderts hat die Stadt auf Entenwerder einen Park angelegt, um den Stadtteil Rothenburgsort aufzuwerten, der nicht unbedingt Vorzeigeviertel war. Die überlaufenen Erholungsgebiete an Alster und Elbstrand blieben jedoch beliebter. Nur für Thomas Friese, Modeunternehmer und Mäzen, war Entenwerder schon immer »eine Insel des Lichts«.

Er ließ einen 60 Meter langen Ponton ans Ufer schleppen. Darauf stellte er den goldenen Pavillon mit seiner Außenhaut aus gelochtem Messing. Das auf drei Ebenen begehbare Kunstwerk ist elf Meter hoch, 16 Meter lang. Die Architekten Jan Kampshoff und Marc Günnewig hatten es für eine Skulpturenausstellung im westfälischen Münster gebaut, danach sollte es eingeschmolzen werden. Bis Thomas Friese und seine Tochter Alexandra Gefallen an dem Glanzstück fanden. Sie beschafften auch die historische Bogenbrücke »Wassertreppe 1«, die zuvor an einem Binnenschiff-Warteplatz lag. Vorher konnte man den Ponton nur über einen wackligen Steg erreichen. Zwei rosafarbene Schiffscontainer auf der Plattform sind das Café Entenwerder 1. Tische und Bänke davor sind aus ausrangierten Duckdalben gezimmert.

Adresse Entenwerder 1, 20539 Hamburg, Tel. 040/70293588 | Hochbahn Bus 3, Haltestelle Billhorner Deich; Bus 530, Haltestelle Entenwerder Stieg | Öffnungszeiten Mo–Do 10–20 Uhr, Fr, Sa 10–21 Uhr, So 10–19 Uhr | Tipp Neben dem Ponton liegt die Rampe, über die der RiverBus in die Elbe taucht. Die Stadtkreuzfahrt mit dem Amphibienfahrzeug dauert 70 Minuten, davon 30 auf dem Wasser. Start ist am Brooktorkai 16 in der HafenCity (Tel. 040/76757500).

72 Die Schieberhäuschen

Mit Wasserkunst gegen Pest und Cholera

Kann ja mal vorkommen. Dass aus dem Hahn das Wasser nur tropft, weil ein Aal das Rohr verstopft. Häufiger war mit Würmern, Kleinkrebsen und sonstigem Getier im Leitungswasser zu rechnen. Die Wasserversorgung war im Hamburg des 19. Jahrhunderts ein trübes Kapitel. Das Elbewasser vorher hygienisch filtern, wie Altona es seit 1859 vormachte, damals noch selbstständige Stadt? Zu teuer. Die Steuern wurden gebraucht, um die Speicherstadt hochzuziehen. Das rächte sich 1892, im Jahr der letzten großen Cholera-Epidemie. Mehr als 8.500 Menschen starben in Hamburg. Altona blieb weitestgehend verschont. Robert Koch, Deutschlands damals führender Epidemie-Experte, war entsetzt über Hamburgs Rückständigkeit: »Meine Herren, ich vergesse, dass ich in Europa bin!«

Filteranlagen waren auf der Elbinsel Kaltehofe zwar schon im Bau, aber es ging schleppend voran. Und nach der Seuche rasend schnell. 1893 ging die Wasserkunst Kaltehofe in Betrieb. Wasserkunst heißt die Anlage, weil man Ingenieure als Kunstmeister bezeichnete und Maschinen als Künste. 22 Filterbecken wurden angelegt, jedes so groß wie ein Fußballplatz. Das Elbwasser wurde jetzt durch eine anderthalb Meter dicke Schicht aus Sand und Kies gefiltert, bevor es in die Haushalte kam. Von 1.000 Keimen pro Kubikzentimeter wurden 999 getötet. Bis 1990 war die Wasserkunst in Betrieb.

In den Schieberhäuschen genannten Backsteintürmchen, Kapellen ähnlich, waren die Schieber, mit denen sich Wasserzufluss und Abfluss regeln ließ, untergebracht. Andreas Meyer hat die Türmchen entworfen, der Architekt der Speicherstadt. Die Anlage ist heute ein verwunschenes Idyll. Ein Teil wird als Industriedenkmal gepflegt. Den größeren Bereich soll die Natur sich holen. Bäume wachsen aus den Schieberhäuschen. 280 teils bedrohte Pflanzen hat man im Biotop gezählt. Sieben Fledermaus-, 44 Vogelarten. Kormorane haben eine Kolonie gegründet.

Adresse Kaltehofe-Hauptdeich 6–7, 20539 Hamburg, Tel. 040/788849990 | Hochbahn Bus 530, Haltestelle Wasserkunst Kaltehofe | Öffnungszeiten April–Okt. Mi–So 10–18 Uhr, Nov.–März Mi–So 10–17 Uhr | Tipp Eine rostige Skulptur erinnert an 500 KZ-Häftlinge und Zwangsarbeiter, die hier für die Hamburger Wasserwerke schuften mussten. Das Reinigen der Filter gehörte dazu.

73 Der Anleger Rabenstraße

Ohne Hutnadel, bitte!

Ein Kupferstich von 1790 zeigt Angler am Ufer der Alster. Reiter tränken ihre Pferde. Zimmerleute werkeln an einem Bootsrumpf. Unter Bäumen steht ein windschiefes Haus mit kleinen Anbauten zum Wasser hin. Das waren die Plumpsklos des Ausflugslokals »De Rave«. »Die Rabe« hieß es später, als es schicklich wurde, Hochdeutsch zu sprechen. Leider nahm man den falschen Artikel. Als dann am Dammtor ein Gasthaus als »Die Neue Rabe« eröffnete, taufte man das Vorbild in »Die Alte Rabe« um. Überliefert ist, dass die Küche ordentlich war. Schon der Kupferstecher hat dokumentiert, dass ein abfallender Steg weit ins Wasser führte. Alster-Archen steuern darauf zu. So nannte man damals Boote mit einem Dach aus Segeltuch.

Die heutige Anlegerbrücke mit schmiedeeisernen Balustraden und Jugendstillampen ist weit über hundert Jahre alt. Gastronomie wird immer noch geboten. Das Café Bodos Bootssteg verleiht zudem Kähne. Alster-Archen landen keine mehr an, die Schiffe der Weißen Flotte der Alster-Touristik haben ein festes Dach, zwei Alster-Cabrios schippern aber auch über den See. »Alsterdampfer« werden die Schiffchen genannt, aber unter Dampf steht nur noch die 1876 gebaute St. Georg, die der Verein Alsterdampfschifffahrt betreibt. Sie ist das älteste betriebsfähig erhaltene Fahrzeug des Hamburger Nahverkehrs und das älteste Binnendampfschiff Deutschlands. Man hat früh auf Sicherheit geachtet: Es war streng verboten, mit ungeschützten Hutnadeln mitzufahren. Solche haben früher die Hüte der Damen fixiert.

Den Linienverkehr im Zehn-Minuten-Takt haben die Alsterdampfer, die mal die Straßenbahn auf dem Wasser waren, vor 40 Jahren eingestellt. Vor hundert Jahren zählte man elf Millionen Passagiere im Jahr, am Schluss waren es 700.000. U-Bahn und Busse sind schneller. Die Schiffe sind heute Vergnügungsdampfer. Bis 2030 sollen alle emissionsfrei und leise durchs Wasser gleiten.

Adresse Ecke Alte Rabenstraße / Harvestehuder Weg, 20148 Hamburg | Hochbahn Bus 19, Haltestelle Fontenay | Tipp Kann sich kaum einer leisten, aber mal reinschauen kostet nix: Das neue Suiten-Hotel The Fontenay mit seiner 27 Meter hohen Atrium-Lounge hat Klaus-Michael Kühne bauen lassen. Der Milliardär steht auf Platz fünf der Liste der reichsten Deutschen. Viel Geld hat er in den HSV investiert (nur 200 Meter entfernt, Fontenay 10).

74_Klein Jerusalem

Jüdisches Leben am Grindel

Drei Kinder mit Schulranzen stehen beim Eismann an. Eine Familie ist auf dem Weg zur Synagoge. Die hebräische Buchhandlung hat ihr Schaufenster mit drei siebenarmigen Leuchtern dekoriert. Eine quirlige Straßenszene. Die Frauen und Männer sind gekleidet im Stil der 1920er Jahre, sie tragen Hüte. In das Wandbild, fünf Stockwerke hoch, sind Plakate integriert. Sie fordern »Nie wieder Krieg!« und ein Zusammenstehen aller Gegner des Nationalsozialismus. Breite Risse durchziehen das Gemälde. Sie symbolisieren die Zerstörung jüdischen Lebens am Grindel während des NS-Regimes. Ein Gedicht der Literaturnobelpreisträgerin Nelly Sachs mahnt, die Erinnerung wachzuhalten. »Nicht einschlafen lassen die Blitze der Trauer. Das Feld des Vergessens. Wer von uns darf trösten?«

Die argentinische Künstlerin Cecilia Herrero hat das Bild an der Stirnseite des Fachbereichs Sozialökonomie der Fakultät für Wirtschafts- und Sozialwissenschaften zusammen mit Studierenden gestaltet. »Klein Jerusalem« wurde das Grindelviertel vor hundert Jahren genannt. Hier lebten 25.000 Angehörige jüdischer Gemeinden. Während der Bevölkerungsanteil der Juden in ganz Hamburg 1925 bei nur 1,7 Prozent lag, erreichte er in Rotherbaum 15 Prozent. Das Grindelviertel war pulsierendes Zentrum jüdischer Kultur. Mit dichter Infrastruktur an Schulen, Wohnstiften, Synagogen, koscheren Lebensmittelgeschäften und Cafés, dem Israelitischen Waiseninstitut. Wer vor dem Nazi-Terror nicht flüchten konnte, wurde deportiert und ermordet. Von den 28 Lehrern der Talmud-Thora-Schule überlebten drei.

Die Auseinandersetzung mit Faschismus, Holocaust, Antisemitismus begann auch in Hamburg sehr spät. Herreros Kunstwerk ist 1995 entstanden. Von den bald 6.000 Stolpersteinen in Hamburg, die an die während der NS-Zeit ermordeten Jüdinnen und Juden, Homosexuellen und politisch Verfolgten erinnern, ist fast die Hälfte am Grindel verlegt.

Adresse Von-Melle-Park 9, 20146 Hamburg | Hochbahn Bus 4, 5, Haltestellen Grindelhof und Universität/Staatsbibliothek | Tipp Nackte Frauen, nackte Männer, tumultartiges Treiben: Nur hundert Meter entfernt erinnert ein haushohes Graffito an Strich und Stil des Pop-Art-Künstlers Keith Haring (Schlüterstraße 5).

75_Der Yu Garden

Böse Geister kommen nicht um Ecken

Wird da eine Weidenblattlaute gezupft? Man meint, ihren lieblichen Gesang zu vernehmen. Begleitet von einer Kürbisflöte, der Wölbbrettzither Guzheng, der Mundorgel Lusheng. Spielen die Instrumente die chinesische Weise »Gao shan liu shui« (Wasser fließt vom hohen Berg)? Und umweht nicht das blumige Aroma von Chrysanthementee die Nase? Wenn jetzt noch Mandschurenkraniche den Garten überfliegen – die Illusion wäre perfekt. Fernöstlicher Zauber umspinnt den Besucher. Der Yu Garden, sagt man, entwickelt meditative Kraft.

Hamburg und Shanghai mit dem größten Containerhafen der Welt sind Städtepartner. Der Yu Garden ist Ausdruck dieser kulturellen und wirtschaftlichen Verbrüderung. Ein Ort für Lesungen, Sprachkurse und Konzerte. Für Teezeremonien. Für Qigong- und Kalligrafieunterricht. Das Konfuzius-Institut der Uni hat hier einen Außenposten, ein Restaurant bietet traditionell Köstliches aus Shanghai. »In Zeiten zunehmender Digitalisierung sozialer und internationaler Kontakte gewinnen analoge Räume der Begegnung eine immer stärkere Bedeutung«, wird Hamburgs Kultursenator Carsten Brosda zur Neueröffnung des Yu Gardens nach langer Renovierung zitiert. Sechs Millionen Euro hat Shanghai in die Idylle investiert. Hamburg stellte das Grundstück in bester Lage.

In 40 Schiffscontainern war das Baumaterial verpackt. Kiefernholzschnitzereien. Traditionelle Dachziegel. Bizarr geformte Taihu-Felsen für die Außenanlagen. Der Yu Garden ist ein verkleinertes Abbild des Gartens Yu Yuan mit dem Huxingting-Teehaus in Shanghai, dort Attraktion für Langnasen wie Einheimische. Löwenfiguren bewachen in Hamburg das verspielte Ensemble mit Pagodendächern, Kieselsteinmosaiken und Wasserspielen. Eine Zickzackbrücke führt über einen Teich und zum Teepavillon. Chinesen glauben, das böse Geister nicht um die Ecke gehen können. Der Zugang zum Teehaus bleibt ihnen deshalb verwehrt.

Adresse Feldbrunnenstraße 67, 20148 Hamburg, Tel. 040/37502020 (Restaurant) | Hochbahn U 1, Haltestelle Hallerstraße; Bus 19, Haltestelle Böttgerstraße; Bus 34, Haltestelle Museum am Rothenbaum | Öffnungszeiten ganzjährig, Restaurant: Di–So 12–23 Uhr | Tipp Der geschnitzte Figurenbaum vor dem Museum MARKK (Museum am Rothenbaum – Kulturen und Künste der Welt, früher das Völkerkundemuseum) ist ein Geschenk der kanadischen Skywahla Stó:lo Halkomelem Indigene (Ecke Rothenbaumchaussee / Binderstraße).

76 Die Kindermord-Stele

»Wie Bilder an die Wand gehängt«

»Wer von euch will die Mama wiedersehen?«, fragt der Uniformierte die Kinder vor Baracke 1. Viel spricht dafür, dass der Fragende Josef Mengele persönlich war, SS-Lagerarzt, der »Todesengel von Auschwitz«. »Wer von euch will die Mama wiedersehen?« – »Ich!«, ruft Sergio de Simone, sechs Jahre alt. »Ich«, sagt Roman Zeller, er ist zwölf, tritt einen Schritt nach vorn. »Ich!« Riwka Herszberg hebt die Hand. Sie ist sechs. Die kleinen Häftlinge sind schon lange von den Eltern getrennt. Schnell hat der Mann 20 Kinder aussortiert. Zehn jüdische Jungs und zehn jüdische Mädchen im Alter zwischen fünf und zwölf Jahren. Sie kommen aus Polen, der Slowakei, Italien, Frankreich, den Niederlanden. Zwei Geschwisterpaare darunter.

Im KZ Neuengamme hat Mengeles Kollege Kurt Heißmeyer im November 1944 die Kinder für Menschenversuche angefordert. Drei Krankenschwestern, die sie begleiten, werden nach der Ankunft ermordet. Sie sind ja Zeuginnen. Der Doktor will Professor werden. Er will beweisen, dass ein mit Tuberkulose infizierter Mensch Antikörper bildet. Heißmeyer spritzt den Kindern Tuberkelbazillen unter die Haut. Er schiebt einen Schlauch in die Lungen, kippt eine TBC-Lösung hinein. Später lässt er bei nur örtlicher Betäubung die Lymphdrüsen herausoperieren. Die Kinder bekommen hohes Fieber, Husten, leiden. Als britische Soldaten 1945 Hamburg erreichen, kommt aus Berlin der Befehl: »Abteilung Heißmeyer ist aufzulösen!« In der Nacht zum 21. April werden die Kinder im Heizungskeller der Schule am Bullenhuser Damm stranguliert. SS-Oberscharführer Johann Frahm sagt später, er habe sie »wie Bilder an die Wand gehängt«.

In Schnelsen zeigt ein Bronzerelief die Porträts der Kinder. Heißmeyer war noch bis 1963 in Magdeburg Arzt, wurde dann enttarnt und zu lebenslanger Haft verurteilt. Im Verhör sagte er, es habe für ihn »keinen Unterschied zwischen Juden und Versuchstieren« gegeben.

Adresse Roman-Zeller-Platz, 22457 Hamburg | **Hochbahn** Bus 5, Haltestelle Burgwedel | **Tipp** Die Schule am Bullenhuser Damm, 1945 KZ-Außenstelle, heute Gedenkort, war nach dem Krieg wieder Schule. Was im Keller passierte, darüber wurde nicht gesprochen (Bullenhuser Damm 92, 20539 Hamburg, Hochbahn: S 21, Haltestelle Rothenburgsort; Bus 122, Haltestelle Grüne Brücke; geöffnet So 10–17 Uhr, Gedenkgarten ganzjährig).

77 Das Alteisen

Planken, die nicht nur der Wind bewegt

Über manche Kunstwerke im öffentlichen Raum kann man streiten. Über dieses nicht. Es passt zu Hamburg. Vor der Dreieinigkeitskirche hat der Künstler Horst Hellinger auf einem Pflastersteinpodest 24 übermannshohe Stahlbleche aufgestellt. Schrott. Rumpfstücke von Schiffen, welche die Welt umrundet haben. Hellinger hat die Planken aus Schiffsruinen herausgebrannt. Rost frisst sich über die Oberflächen, die zudem von Graffiti überzogen sind. Eine Schönheit ist das Wrackensemble nicht. In der Dunkelheit wird es auch mal als Urinal genutzt. Man hat darüber diskutiert, das Kunstwerk einzuschmelzen. Oder es an einen anderen Ort zu versetzen, vielleicht in den Hafen. Die Anwohner haben das Alteisen über die Jahre liebgewonnen. Seit ein weiteres Kunstwerk im Hintergrund steht, der Kalvarienberg, die Golgatha-Kreuzigungsgruppe, hat die Prozession der Bleche auch den Segen der Kirche. »Dieser Dialog ist ein Gewinn«, sagte Bischof Hans-Jochen Jaschke.

Der Diskurs hätte Horst Hellinger (1946–1999) gefallen. Er hatte ein Atelier im Künstlerhaus Weidenallee in der Schanze, war Professor für Plastiken an der Fachhochschule Hannover. Sein Credo: »Kunst auf urbanen Plätzen muss für die Bewohner einer Stadt provozierend und anregend wirken.« Schweißbrenner und Schmiedehammer waren Hellingers Handwerkszeug. Mit seiner Installation in St. Georg wollte er den Niedergang der einst blühenden Werften ins Bewusstsein der Menschen holen. Dass Menschen, die dort jahrzehntelang gearbeitet haben, ihren Job und ihre Existenz verloren. Hellinger hat seine Bleche, die über dem Pflaster zweieinhalb Meter hochragen, einen Meter tief im Boden verankert.

Man kann das Ensemble durchlaufen, erkunden, entdecken. Immer neue Ansichten, Aussichten, Einsichten erleben. Eine Beschriftung würde helfen, das Kunstwerk zu verstehen. Hellingers Schiffsplanken sind zwei bis drei Zentimeter dick. Aber wenn es ordentlich bläst in Hamburg, schwanken sie doch im Wind.

Adresse St. Georgs Kirchhof, 20099 Hamburg | Hochbahn U 2, U 4, Haltestelle Hauptbahnhof Nord; Bus 6, 17, 37, Haltestelle Hauptbahnhof/Kirchenallee | Tipp Vor der Kirche sind in Form eines Kreuzes Steine mit den Namen von an Aids gestorbenen Menschen verlegt. Die Gemeinde kümmert sich um Drogensüchtige und Stricher am Hauptbahnhof.

78 Das Koppel 66

Künstlerkollektiv in der Revolverfabrik

Der Taubenschlag für Kreative wirkt auf den ersten Blick wie eine stille, von Licht geflutete Einkaufspassage. Mittelpunkt ist ein Treppenaufgang. In der ersten und zweiten Etage umrunden Galerien ein Atrium, das von der Straße Koppel und von der Langen Reihe aus zu erreichen ist. Ein Glasdach bekrönt den Tempel der schöpferischen Kraft. Künstler und Kunsthandwerker arbeiten hier in offenen Ateliers, die gleichzeitig Präsentations- und Verkaufsräume sind. Im Café Koppel im Erdgeschoss gibt's Vollkorngemüsekuchen oder grünes Kartoffelpüree mit gebackener Aubergine. Nur Vegetarisches, viel Veganes.

Die Laufkatze unterm Glasdach erinnert daran, dass dieser Bau im Stil des Hamburger Art déco mal eine Dreherei für Maschinenbau war. Nur vier Jahre, bis 1928, dann hat man die Produktion eingestellt. In der NS-Zeit sollen hier Revolver produziert worden sein. Nach dem Krieg stand das Gebäude leer oder diente als Lager. Dann kämpfte der Restaurator Hans-Dieter Rommeney für eine Idee. Er wollte »eine sozial und kulturpolitisch wirksame Institution, die der Existenz und dem Fortbestand des Handwerks dient«. Das Abendblatt schrieb: »Keine Gegend scheint für diesen Plan mehr geeignet als St. Georg, denn das Handwerk hat in diesem Viertel am Hauptbahnhof Tradition. Jahrhundertelang beherbergten die engen Gassen unzählige Werkstätten und Gewerbebetriebe.« Die Stadt stimmte zu, bezahlte den Umbau. Man hoffte auch, dem Stadtteil sein Image als Tummelplatz der Dealer, Junkies und Prostituierten zu nehmen.

Goldschmiede, Maler, Hut- und Textil-Designer, Maßschneider, Papiergestalter und Seifenhersteller sind als Mieter im »Haus für Kunst und Handwerk« auch Mitglieder eines Fördervereins. Sie organisieren Konzerte und Lesungen. Publikumsmagnet sind Messen im Frühjahr und Advent. St. Georg ist längst ein angesagtes Viertel. Auch das Künstlerkollektiv hat neue Leute angelockt.

Adresse Koppel 66 und Lange Reihe 75, 20099 Hamburg, Tel. 040/249235 (Café) | **Hochbahn** Bus 6, 17 Haltestelle Gurlittstraße | **Öffnungszeiten** Ateliers: Mo–Sa 11–19 Uhr; Café: Mi–So 10–19 Uhr | **Tipp** Die dicke Litfaßsäule auf dem Carl-von-Ossietzky-Platz war früher auch Blumenladen. Die Verkaufsklappe ist lange geschlossen. Hans Albers war Kunde (Höhe Lange Reihe 29).

79 Die Balduintreppe

Black lives matter! Auch in Hamburg!

Eine Gruppe junger Männer steht oben am Treppengeländer vor der Kiez-Spelunke Onkel Otto, die innen so ranzig wie außen ist. Die People of Color stehen eng beieinander, sie sichern sich ab. Das Drogengeschäft ist hier Teamarbeit, die Aufgaben sind klar verteilt. Zwei halten Ausschau. Einer nimmt das Geld. Der Vierte hat den Stoff. Ein paar Stufen unterhalb die nächste Gruppe. Die Drogenhändler grüßen höflich. »Hello«, haucht einer. »Wie geht's?« So läuft die Kontaktaufnahme mit potentiellen Kunden. Von unten steigen zwei Uniformierte mit gelben Warnwesten die Treppe hinauf.

Neben Hotspots in St. Georg und im Schanzenpark ist die Balduintreppe Brennpunkt der Rauschgiftkriminalität. Bei einer Razzia hat die Polizei entlang des Aufgangs sieben Drogendepots entdeckt, 58 Beutel mit Marihuana beschlagnahmt. Vor wenigen Jahren hat man die »Taskforce Betäubungsmittel« aufgestellt, seither kontrollieren Polizisten die Gegend 24 Stunden am Tag. Überprüfen die meist aus Westafrika stammenden Männer, wenn sie ihnen verdächtig vorkommen. Pro Jahr werden Tausende Platzverweise erteilt, immer wieder gibt es Festnahmen. Dabei sind die Dealer nur die Laufburschen. Die Bandenchefs sitzen in Hinterzimmern. Weil manchmal auch Afrikaner kontrolliert werden, die auf St. Pauli nur wohnen und arbeiten, wirft ein Teil der Anwohner der Polizei Rassismus vor, People of Color würden unter Generalverdacht gestellt. Die Polizei wehrt sich: »Wir können nichts dafür, dass wir da eine Klientel haben, die sich dort etabliert hat, die eine dunkle Hautfarbe hat. Wenn das hellhäutige Deutsche wären, würden wir genauso vorgehen.«

Hellhäutig sind die meisten Kunden der Dealer. Zivilfahnder haben an der Balduintreppe einen 47-Jährigen gefasst, der vier Portionen Haschisch eingekauft hatte. Die Polizisten erkannten den Kollegen gleich wieder. Er war Hauptkommissar, Ausbilder an der Polizeiakademie.

Adresse Balduintreppe zwischen Bernhard-Nocht-Straße und St. Pauli Hafenstraße, 20359 Hamburg | Hochbahn S 1, S 3, Haltestelle Reeperbahn; Bus 2, Haltestelle St. Pauli Hafenstraße; Bus 112, Haltestelle Hafentreppe | Tipp Die bunten, in den 1980er Jahren umkämpften Häuser an der Hafenstraße gehören heute der Genossenschaft »Alternativen am Elbufer«. Transparente verkünden immer noch politische Statements.

80__Der Barkassen-Hafen

Wenn der »He lücht« in Fahrt kommt

Hamburg ohne Hafenrundfahrt zu entdecken, ist – frei nach Loriot – möglich, aber sinnlos. Von Bord einer schaukelnden Barkasse hat man einen besonderen Blick auf die Stadt und erhält tiefe Einsichten in den Hafen. Mindestens genauso unterhaltsam ist, was der »He lücht« vorzutragen hat. »He lücht« nennt man den Decksmann und Gästeführer am Mikro. Er hat viel Interessantes, allerhand Döntjes (Anekdoten) und Tünkram (Flunkereien) zu erzählen. Übertriebenes und harmlos Unwahres. Kalauer und manche Zote. Sprüche wie dieser: »Ich würd' ja niemals im Michel heiraten. Weil es Tradition ist, nach der Trauung die Schwiegermutter die 452 Stufen im Turm bis zur Aussichtsplattform hochzutragen. Das nennt man bei uns Drachen steigen lassen.« Oder: »Jetzt ist auch klar, warum die Elbphilharmonie aussieht wie eine Toblerone. Die Architekten kamen aus der Schweiz.«

Bis in die 1960er Jahre waren die Barkassen für die Logistik im Hafen unentbehrlich. Sie waren Zubringer für die Arbeiter an den Kais und auf den Werften, haben Schuten bugsiert und Stückgut transportiert. Heute sind die etwa 90 Elbschiffchen für Touristen unterwegs. Tuckert solch eine Rundfahrgesellschaft nahe an Hafenarbeitern vorbei, amüsieren diese sich über den Erklär-Bär an Bord. Sie rufen »He lücht«, Plattdeutsch für »Er lügt«. Wenn der Münchhausen des Wassers etwa verkündet: »Leute, schaut mal nach links, da taucht gerade ein U-Boot der Gebirgsmarine unter uns durch!« Ganz getreu der hanseatischen Weisheit: »Auf jedem Schiff, das schwimmt und schwabbelt, ist einer drauf, der blöde sabbelt.«

Einer geht noch. Es ist die große Lachnummer von »He lücht«-Original Jens Zotz. Den Spruch bringt er, wenn seine Barkasse am Strand von Övelgönne (siehe Ort 63) vorbeizieht: »Im Sommer bei 30 Grad liegen da die Menschen dicht an dicht. Ich bin mal abends vorbeigefahren. Da war es so voll, die Leute haben übereinandergelegen.«

Adresse Bei den St. Pauli Landungsbrücken, 20359 Hamburg | Hochbahn U3, S1, S3, Bus 112, Haltestelle Landungsbrücken | Tipp Im Tuffstein des Pegelturms am historischen Abfertigungsgebäude warnt ein Relief vor Sturmflut: »Wohr Di, wenn de Blanke Hans kummt.«

81 Der Beatles-Platz

»Macht Schau!« Und sie machten Show

»Ich bin in Liverpool aufgewachsen, aber in Hamburg erwachsen geworden«, hat John Lennon gesagt. Im August 1960 haben die Beatles in der Kaschemme Indra an der Großen Freiheit ihren ersten Auftritt. Sie sind zu fünft: Lennon, George Harrison, Paul McCartney, Stuart Sutcliffe, Pete Best. Pete, der Drummer, wird später durch Ringo Starr ersetzt. Bassist Sutcliffe scheidet aus. Die Beatles haben zuvor auf Gemeindefesten gespielt. Vom legendären Beatles-Sound der späteren »Fab Four« ist noch nichts zu hören. Sie spielen Rock-'n'-Roll-Coverversionen. Stücke von Chuck Berry, Little Richard, Buddy Holly. Sie schreien mehr, als dass sie singen. Sie zappeln. »Macht Schau!«, ist die Ansage des Clubbesitzers. Mit einer Stripperin teilen sich die Beatles den Abend.

30 Mark zahlt der Clubchef den Jungs. Er bringt sie in fensterlosen Abstellkammern hinter der Leinwand seines Bambi-Kinderkinos unter. Kein Bad, nur stinkende Klos. Ihre Gigs auf dem Kiez überstehen die Beatles mit Preludin, einem Schlankheitsmittel, das auch aufputscht. Sie ernähren sich von Cornflakes. Aber mit jedem Auftritt werden sie besser. 1961 haben die Beatles – jetzt mit eigenem Programm – ein Engagement im neuen Club Top Ten. Eine Hamburger Fotografin schneidet ihnen die Pilzkopf-Frisur. 1962 werden sie monatelang im Star-Club an der Großen Freiheit gefeiert. Als sie als Weltstars später zurückkommen, spielen sie vor Tausenden kreischenden Fans. Wasserwerfer müssen die aufhalten, die keine Konzertkarten bekamen.

»Ohne Hamburg keine Beatles«, urteilt Biograf Mark Lewisohn. Am Kaiserkeller (Große Freiheit 36), nach dem Indra ihre zweite Bühne, hängt der angekokelte Vertrag mit den Beatles. Sutcliffes Unterschrift ist gut zu lesen. Wo die Große Freiheit in die Reeperbahn mündet, erinnert der Beatles-Platz. Er hat die Form einer Schallplatte. Lebensgroße Edelstahlsilhouetten zeigen die Musiklegenden.

ADDITIONAL CLAUSES

1) Should ~~either~~ The Beatles break the contracht they will compensate Mr. Koschmider in full

2) Should Mr. Koschmider break the contract he will be held liable to pay the full fee of engagement for tour.

3) Mr. Koschmider to set working permits for The Beatles.

PAYING TIMES

…esday to Friday playing times 41/2 hours
… pm to 9-30 pm, break 1/2 hour. 10-00 pm to 11-00 pm break 1/2 hour
…-30 to 12-30 am break 1/2 hour. 1 00 am to 2 am.

…turday playing times 6 hours
…00 pm to 8 30 pm break 1/2 hour. 9-00 pm to 10-00 pm break 1/2 hour
…-30 pm to 11-30 pm break 1/2 hour. 12 00 to 1-00 am break 1/2 hour
…0 am to 3 00 am.

…day playing times 6 houres
… pm to 6-00, pm break 1/2 hour. 6-30 to 7-30 pm 1/2 hour break.
… to 9-00 pm break 1/2 hour. 9-30 to 10-30 pm break 1/2 hour.
… to 12.00 pm break 1/2 hour. 12-30 to 1-30 am

… agree to aside to the conditions laid out in … contract.

Adresse Beatles-Platz, Höhe Reeperbahn 174, 22767 Hamburg | Hochbahn U 3, Haltestelle St. Pauli; S 1, S 3, Haltestelle Reeperbahn; Bus 16, 36, 37, 111, 112 Haltestelle Davidstraße | Tipp Das Bambi-Kino gibt's nicht mehr. Ein Foto dort, von Efeu umrahmt, erinnert an die Beatles. Sie grinsen in die Kamera (Paul-Roosen-Straße 33, die Große Freiheit Richtung Norden, dann links).

82 Das Dschungeldach

Grüne Oase auf dem Weltkrieg-Monstrum

Das Projekt erinnert an zwei Weltwunder, die hier zu einem werden. An die Hängenden Gärten von Babylon und an die Pyramiden von Gizeh. Auf die fünf Meter dicke Decke des Weltkrieg-Monstrums Hochbunker auf dem Heiligengeistfeld hat man fünf sich verjüngende Geschosse gesetzt. Kern ist ein Konzertsaal. Auf Knopfdruck wird er Sportarena. LED-Leuchten im Glasboden bilden die Spielfeldgrenzen für eine Handball- oder Basketballpartie ab. Rundherum hat man ein Hotel mit 136 Zimmern gebaut, mit Restaurant und Bar. Der Clou: Das alles versteckt sich in einem Dschungel. Auf Terrassen und weiten Balkonen wachsen 23.000 Pflanzen, die Sturm und anderem Schietwedder in 60 Meter Höhe gewachsen sind. Strauchwaldkiefern. Felsenbirnen. Stechpalmen. Sie machen den grauen Klotz der braunen Diktatur zur grünen Oase.

Jahrelang war hier XXL-Baustelle, die spektakulärste seit dem Bau der Elbphilharmonie. Jahrzehntelang hat man um die Zukunft des Bunkers gerungen. Zwangsarbeiter hatten ihn errichten müssen. In den Bombenächten strömten täglich 25.000 Anwohner in das Bollwerk, von dessen Dach Kanonen auf die Flieger schossen. Nach dem Krieg hat Axel Springer in den Räumen die ersten Ausgaben der Hörzu und des Abendblatts entwickelt. Die erste Tageschau wurde 1952 von hier gesendet. Den hässlichen Kasten sprengen? Zu gefährlich für die umliegenden Viertel. Ein Rückbau? Zu teuer.

Investor und Mäzen Thomas Matzen gefiel die Idee eines öffentlichen Stadtgartens mit Panorama-Blick. Ein üppig bepflanzter Bergpfad führt rund um den Bunker nach oben. Der Architektur-Kritiker der Süddeutschen Zeitung lobt: »Im Reigen spektakulär begrünter Bauwerke, die von Singapur bis Paris aufschauen lassen, visiert das Hamburger Projekt einen Spitzenplatz an.« 2024 wurden Bergpfad und Dachgarten geöffnet. In den ersten sechs Monaten kamen eine Million Besucher. Noch grünt es nicht so überzeugend. Ein guter Gärtner weiß: Er braucht Geduld!

Adresse Feldstraße 66, 20359 Hamburg | Hochbahn U3, Bus 3, 17, Haltestelle Feldstraße | Öffnungszeiten Bergpfad und Dachgarten: Mai – Anfang Okt. täglich 7 – 23 Uhr, Anfang Okt. – April 7 – 20 Uhr, Rollstuhlfahrer dürfen den Lift nehmen | Tipp Reliefs an der Rindermarkthalle neben dem Bunker berichten von ihrer früheren Bedeutung. Sie war Viehmarkt, 2.500 Rinder und 5.000 Schafe hatten hier Platz. Heute ist sie Einkaufszentrum und überdachter Wochenmarkt.

83 Der Enkel

Rickmer Rickmers Abenteuer

Den Bug von Traditionsschiffen schmückt oft eine Galionsfigur. Sie galt als die Seele des Schiffes. Meerjungfrauen, Heilige, Löwen waren beliebte Motive. Eine Hirschkuh zierte das Schiff des Piraten Francis Drake. Die Galionsfigur sollte auch vor missvergnügten Seegeistern schützen. Ging sie verloren, galt das als böses Omen. Solche Schiffe fanden nur schwer eine Crew. Dem deutschen Segelschulschiff Gorch Fock schwebt ein sechs Meter großer goldener Albatros voraus. Schon fünf Mal ist er in schwerem Wetter davongeflogen. Vielleicht ein früher Hinweis auf die fünfeinhalb Jahre in der Werft und die skandalösen 135 Millionen Euro, die das Aufpolieren des Schmuckstücks gekostet hat.

Ungewöhnlich ist die Galionsfigur des Frachtenseglers Rickmer Rickmers. Ein pausbäckiger Junge mit Matrosenmütze klemmt am Bug. Er trägt ein weißes Gewand, das er mit der rechten Hand zusammenrafft, um nicht zu stolpern. Es ist der dreijährige Rickmer, Enkel des Werftbesitzers und Reeders Rickmer Clasen Rickmers. Neben dem Dreikäsehoch die schwarz-weiß-rote Fahne des Deutschen Reichs und das Wappen des Großvaters in den Farben Grün, Rot, Weiß, die Farben Helgolands. Opa kam von der Insel, hat seine Werft aber in Bremerhaven gebaut.

Der kleine Rickmer hat viel erlebt. Der Dreimaster mit einer Segelfläche groß wie ein halbes Fußballfeld hat viele Male aus Hongkong Reis und Bambus geholt. Hat am Kap der Guten Hoffnung einen Taifun abgeritten und konnte sich gerade noch nach Kapstadt retten. Später war das Schiff für eine andere Reederei im Salpeterhandel mit Chile unterwegs, noch später Portugals Segelschulschiff. Rickmer musste seinen Logenplatz für die Figur eines portugiesischen Prinzen räumen. In den 1980er Jahren entdeckt ein Verein das Schiff, das bei Lissabon verrottet. Er schleppt es nach Hamburg, saniert es als Museumsschiff. Ein neuer kleiner Rickmer kommt an seinen alten Platz.

Adresse Bei den St. Pauli Landungsbrücken, Brücke 1/Fiete-Schmidt-Anleger, 20359 Hamburg, Tel. 040/3195959 | Hochbahn U 3, S 1, S 3, Bus 112, Haltestelle Landungsbrücken | Öffnungszeiten täglich 10–18 Uhr | Tipp In Sichtweite liegt an der Überseebrücke die Cap San Diego, auch »Weißer Schwan des Südatlantiks« genannt. Das Museumsschiff ist noch seetüchtig. 20 Jahre lang hat es Autos und Maschinen nach Südamerika gebracht, dort Kaffee und Steaks geladen.

84 Die Fähre 62

Kleine Kreuzfahrt auf dem Bügeleisen

Im Oktober 1891 durchdringt erst ein metallisches Krachen die Nacht, später gellen schrille Angstschreie aus vielen Kehlen über die Elbe. Die Menschen rennen zum Ufer, können aber im dichten Nebel nichts erkennen. Vor ihnen hat sich der Vorsteven des Dampfers Procida, aus New York kommend, in die Seitenwand des Schiffes Athabaska gebohrt. Sie hatte am Böhnhasensand Grundkontakt. Auflaufendes Wasser drehte das Schiff, bis es quer zur Fahrrinne lag. Aus der Kolonie Britisch-Indien hat es Reis geholt. Und eine größere Zahl Affen geladen, die der neue Zoologische Garten am Dammtor bestellt hat. Langsam sinkt die Athabaska. Die Schreie der Affen im Todeskampf sind lange zu hören. Qualvoll ertrinken die Tiere.

Am Athabaskakai, moderner Containerverladeplatz, kommt die Fähre 62 auch vorbei. Start ist an den Landungsbrücken. Am Fischmarkt, wo sonntags Marktschreier Bananen, Aale und Würste werfen, ist der erste Halt. »Zurückbleiben bitte!«, mahnt die Stimme aus dem Lautsprecher. Mit einem Quietschen fährt die Rampe herunter. Eilig steigen die Passagiere aus und zu. Nächster Stopp ist das Dockland (siehe Ort 3), weiter geht's nach Övelgönne. Jetzt quert die Linie 62 die Elbe, nach dem Anleger Bubendey-Ufer (siehe Ort 101) ist Finkenwerder das Ziel. Wer mag, steigt hier auf die Fähre 64 um und kommt so nach Teufelsbrück (siehe Ort 57). Ganz neu ist die Express-Linie 66, die nonstop von den Landungsbrücken nach Finkenwerder fährt (Mo–Fr 13–21 Uhr).

Die Fähren sind Hamburgs Busse auf dem Wasser. Zuverlässig, meistens pünktlich. Es gelten die Tickets des Verkehrsverbundes. Wer sich günstig eine kleine Hafenkreuzfahrt gönnen will, sollte die 62 nicht zu Stoßzeiten nutzen. Für Zigtausende Pendler ist die Linie ihr Arbeitsweg. Wegen des großen Oberdecks am Bug und der geschwungenen Kapitänsbrücke achtern haben die Fähren mit einer klassischen Schiffssilhouette wenig gemein. Die Hamburger erinnert die Form eher an ein Bügeleisen.

Adresse Bei den St. Pauli Landungsbrücken, Brücke 3, 20359 Hamburg | Hochbahn U3, S1, S3, Bus 112, Haltestelle Landungsbrücken | Fährzeiten März – Okt. 5.15 – 23.45 Uhr, 6.45 – 22 Uhr alle 15 Minuten, Sa, So 11 – 18 Uhr alle 10 Minuten; Feb. – Nov. 5.15 – 23.45 Uhr, 6.45 – 19 Uhr alle 15 Minuten | Tipp Über das Fischbrötchen-Bistro Brücke 10 an der Brücke 10 schreibt das Fachblatt Essen & Trinken: »Die beste und schönste Fischbude der Stadt. Knusprig und mit feinstem Seafood belegt ist das Auf-die-Hand-Food nicht zu toppen.«

85 Das Immendorff-Relief

Was der Künstler ins Albers-Denkmal ritzte

Natürlich gehört auf den Hans-Albers-Platz ein Hans-Albers-Denkmal. Erstaunlich, dass dies erst ein Professor aus Düsseldorf merkte. Da steht der »Blonde Hans« nun vor einer Linde. Hans Albers legt Hand an die Mütze, die überm Toupet sein Markenzeichen war. In der Linken hält er ein Schifferklavier. Albers ist in St. Georg geboren, seine Urne in Ohlsdorf bestattet. Sein beruflicher Mittelpunkt war immer Berlin, seine Wahlheimat der Starnberger See. Trotzdem ist kein Name so eng mit Hamburg verbunden wie seiner.

Blaue Augen, hypnotischer Blick. Das Multitalent war Schwarm der Frauen. Er verkörperte den Hamburger wie kein Zweiter, besang Sehnsüchte und Erlebnisse auf See. »Auf der Reeperbahn nachts um halb eins« ist vielleicht sein berühmtestes Lied. Mit Marlene Dietrich stand er in »Der blaue Engel« vor der Kamera, mit Ilse Werner in »Große Freiheit Nr. 7«. Der Film spielt in St. Pauli, wurde in Prag gedreht.

Am Hans-Albers-Platz eröffnet der Kunstprofessor, Maler und Bildhauer Jörg Immendorff 1984 die Bar La Paloma. Er schmückt den Laden mit Werken von Kollegen, mit Joseph Beuys, Markus Lüpertz, Georg Baselitz. Weil auf dem Platz keine Albers-Statue steht, macht Immendorff sich selbst ans Werk, bietet dem Senat die Figur als Leihgabe an. Als die Stadt das Areal verkommen lässt, baut Immendorff die Plastik wieder ab. Das Original steht jetzt in Düsseldorf. Die Hamburger Figur ist ein Zweitguss, zu dem Jörg Immendorff (1945–2007) sich überreden ließ. Nur der Sockel unterscheidet sich, der Künstler hat Figuren in die Bronze geritzt: einen Mann, der im Pissoir aufwischt. Eine Frau, die nackt auf einem Kriechenden reitet, ihn mit der Peitsche antreibt. Später erwischte die Polizei Immendorff mit neun Sexarbeiterinnen und viel Kokain bei einer Party in einem Hotel. Er gestand, 27 solcher Orgien gefeiert zu haben. Er wollte sich ablenken von einer tödlichen Krankheit.

Adresse Hans-Albers-Platz, 20359 Hamburg | Hochbahn U3, Haltestelle St. Pauli; S1, S3, Haltestelle Reeperbahn; Bus 16, 36, 37, 111, 112, Haltestelle Davidstraße | Tipp »Hoppla, jetzt komm ich!« Der Albers-Gassenhauer aus einem Film mit Heinz Rühmann ist auch Motto mancher Szenegänger im Hans-Albers-Eck (Hans-Albers-Platz 20).

86__Das Karoviertel

Hier wohnen Kreativität und Widerstand

Willkommen im gallischen Dorf! Das Karolinenviertel ist eingerahmt von den Messehallen im Norden und Osten, vom Rummelplatz Heiligengeistfeld im Süden und den alten Rindermarkthallen im Westen. Wer es durch die Karolinenpassage ansteuert, von der Karolinenstraße aus, wo Autos hetzen, hält inne. War da gerade noch Großstadtlärm, ist plötzlich Stille. Dreigeschossige Gründerzeitfassaden stehen im Kontrast zu den spiegelnden Glasfronten der Messe. Die gelb und grün gestrichenen Häuserzeilen sind nur durch einen mit roten Kacheln ausgelegten Weg getrennt. So schmal ist der Gang, dass man beim G20-Gipfel über den Weg von Balkon zu Balkon Tücher spannen konnte, die Trump, Putin oder Xi Jinping nicht willkommen hießen. Wie im Schanzenviertel, nur einen Steinwurf entfernt, wohnt auch hier der Widerstand.

Durch einen Torbogen, grell mit Graffiti bemalt, kommt man zur Glashüttenstraße, welche die Marktstraße kreuzt. Sie ist die hippe Einkaufsmeile. Kleine Läden für Mode und Musik, Schmuck und Schnickschnack dicht nebeneinander. Viele der Geschäfte sind Ateliers. Eine Chai-Latte als Shopping-Intermezzo? Falafel oder vietnamesisches Streetfood?

Etwa 4.000 Karoliner wohnen im Viertel. In den 1950er Jahren lebten hier viele Arbeitsmigranten. Die Mieten waren günstig, das Klo lag auf halber Treppe. Die Stadt plante, das Quartier komplett abzureißen, um hier die neue Messe oder eine Sporthalle zu bauen. Haus für Haus kaufte man auf, hielt die Wohnungen nur mäßig instand. Die Mieter, so der Plan, würden schnell weiterziehen. Aber neue Mieter zogen nach. Junge Familien. Studenten. Künstler. Es reifte die Einsicht, dass ein Abbruch sich nicht so leicht würde durchsetzen lassen, für die Messe fand man einen anderen Platz. Das Karoviertel hat seine Wiederauferstehung dem kreativen Engagement seiner Bewohner, der alternativen Szene und den cleveren Kleinunternehmern zu verdanken.

Adresse Karolinenstraße, Höhe Haus Nummer 25, 20357 Hamburg | Hochbahn U 2, Haltestelle Messehallen; U 3, Bus 3, 17, Haltestelle Feldstraße | Tipp Unter Einsatz von Körper und Seele entstehen die Bilder der Schlumper. Die Ateliergemeinschaft von Künstlern mit unterschiedlichen Behinderungen hat ihre Galerie im Eckhaus Glashüttenstraße/Marktstraße (geöffnet Mi–Fr 16–19 Uhr, Sa 11–17 Uhr, So 14–17 Uhr).

87 Die Kiez-Kirche

Auch Sexarbeiterinnen beichten

Die Schmuckstraße läuft direkt auf die Barockkirche zu, bildet eine Sichtachse. Die Straße war Hamburgs Chinatown. Chinesische Seeleute hatten sich hier niedergelassen, betrieben Wäschereien, Lokale, auch Opiumhöhlen. Bis die Nazis nach der Kriegserklärung Chinas an Deutschland die Asiaten als Spione verhafteten und misshandelten. Wo die Schmuckstraße in die Straße Große Freiheit mündet, steht man vor dem Portal von Sankt Joseph. Eine mächtige Figur des Heiligen mit dem Jesuskind thront zwischen hohen Fenstern über der Pforte. Die Kirche ist umstellt von Nacht- und Erotik-Clubs, Bordellen und Straßenprostituierten.

Man möchte meinen, der Straßenname Große Freiheit habe mit der sexuellen Freizügigkeit im Amüsier- und Rotlichtviertel zu tun. So ist es nicht. Der Name bezieht sich auf die Glaubensfreiheit, die der dänische König 1658 der Stadt Altona als Privileg zugestand. Altona war damals unabhängig von Hamburg, gehörte zum Herzogtum Holstein, zu seinem Reich. In der Folge siedelten sich Mennoniten, Juden und Katholiken aus Österreich an. Sie brachten aus Wien den Architekten Melchior Tatz als Baumeister für ihr Gotteshaus mit, das 1721 eingeweiht wurde. Die Kirche war üppig mit barocken Kunstwerken ausgestattet, aber die Bomben des Zweiten Weltkriegs haben Sankt Joseph nur das Prunkportal gelassen. Der Kirchensaal dahinter wurde nüchtern wiederaufgebaut. Hauptaltar und Seitenaltäre geben jedoch einen Eindruck der früheren Dekoration. Heute ist hier die katholische polnische Gemeinde zu Hause. Zum Gottesdienst in polnischer Sprache kommen viele Besucher. Auch strenggläubige Sexarbeiterinnen.

In der Krypta liegen hinter Glas Knochen und Schädel von 350 Menschen, die unter der Kirche bestattet wurden. Man hatte sie beim Wiederaufbau auf einen Haufen gekippt und vermauert. Erst vor wenigen Jahren wurden sie entdeckt. Die Gruft ist Hamburgs einziges Beinhaus.

Adresse Große Freiheit 43, 22767 Hamburg, Tel. 040/314919 | **Hochbahn** U3, Haltestelle St. Pauli; S1, S3, Haltestelle Reeperbahn; Bus 16, 36, 37, 111, 112, Haltestelle Davidstraße | **Öffnungszeiten** Gottesdienste: Do 15.30 Uhr, Sa 17 Uhr; Gebet in der Krypta: Mi 12 Uhr (Treppenabgang im Kirchhof) | **Tipp** Das Gruenspan auf der anderen Seite der Straßenkreuzung ist Musikclub. Die Pop-Art-Malerei an der Fassade beliebter Selfie-Hintergrund – auch wenn der Putz blättert (Große Freiheit 58). Ab Sommer 2025 wird drei Jahre lang saniert. Es soll einen Interimsstandort geben.

88 Der Pferdeaufzug

Abwärts ruckeln und durch!

Wer schon lange Aufseher im Tunnel ist, hat viel zu erzählen. Einer berichtet von einem Paar, das sich im Auto mit dem Lift die 24 Meter nach unten bringen ließ. Der Wagen fuhr aus dem Aufzug, wurde an der Seite geparkt. Die Insassen stiegen aus, schlossen ab. Sie glaubten, der Tunnel sei ein Parkhaus. Das Aufzugticket hielten sie für den Parkschein. Heute dürfen keine Autos mehr durch den St. Pauli-Elbtunnel fahren. Aber die historischen hölzernen Fahrzeugkabinen ruckeln unentwegt nach unten und oben. Radfahrer und Fußgänger quellen hervor, wenn sich die Tore heben.

Am Ende des 19. Jahrhunderts arbeiten 20.000 Menschen auf den Werften und 25.000 im neuen Freihafen auf dem Südufer der Elbe. Sie setzen mit Ruderbooten über den Strom, was bei Sturm gefährlich ist. Mit Barkassen, die sie sich oft nicht leisten können. Eine Lösung muss her. Eine Brücke würde die Schifffahrt behindern. Bleibt nur eine Flussunterquerung. Aber auf 430 Meter Länge? So etwas gibt es damals auf dem europäischen Festland nicht.

Den Ingenieuren gelingt das technische Wunderwerk. In St. Pauli und auf der Elbinsel Steinwerder werden unter Portalen Schächte gegraben, die in die Tiefe führen. Vier Jahre lang buddeln sich Arbeiter drei Meter unter dem Flussbett durch. Unter Überdruck-Bedingungen, damit kein Wasser eintritt. Drei Menschen sterben. Zwei Röhren mit einem Durchmesser von knapp sechs Metern entstehen. Links und rechts ein Fußweg, in der Mitte eine Fahrbahn, breit genug für Fuhrwerke. Nach deren Maßen werden auch die halboffenen Aufzugskabinen konstruiert. Die Pferde sollen über die Tore hinwegsehen können, damit sie nicht in Panik geraten.

400.000 neue Wandfliesen in grauen und blauen Farbnuancen, Reliefs von Seesternen und Delfinen, mehr Licht. Die Oströhre ist frisch saniert, in einigen Jahren soll auch die Weströhre strahlen. Seit Fußgänger und Radler den Alten Elbtunnel für sich haben, explodieren die Nutzerzahlen.

Adresse Nordportal: Bei den St. Pauli Landungsbrücken, 20359 Hamburg; Südportal: Beim Kraftwerk, 20457 Hamburg | Hochbahn Nordportal: U3, S1, S3, Bus 112, Haltestelle Landungsbrücken; Südportal: Bus 156, 256, Haltestelle Alter Elbtunnel | Öffnungszeiten Pferdeaufzüge: Mo–Fr 5.30–20 Uhr, Sa, So 10–18 Uhr; Personenaufzüge: rund um die Uhr | Tipp Hinter dem Südportal zum Aussichtspunkt Steinwerder: Panoramablick zu den Landungsbrücken, im Hintergrund die Tanzenden Türme von Stararchitekt Hadi Teherani.

89_Die Ritze

Kaschemme und Kunstwerk

Drei Schüsse! Danach steckten zwei Neun-Millimeter-Geschosse in der Brust von Zuhälter Fritz Schroer, den sie wegen seiner Augen »Chinesen-Fritz« nannten. Ein Auftragskiller hatte ihn mit dem Trommelrevolver vom Barhocker gepustet. Stefan Hentschel, einst »Pate von St. Pauli«, hat sich im Keller erhängt. An einem Deckenhaken, von dem er zuvor den Boxsack abgenommen hatte. Es sind solche und andere Geschichten, welche den Mythos der Kneipe Zur Ritze begründen, aber auch ihren Charme. Udo Lindenberg hat hier einige seiner Lieder getextet. Alle waren da oder sind heute noch Stammgast. Promis, Luden, normale Zecher. Regisseur Jürgen Roland. Ulrich Tukur, Ben Becker. Franz Beckenbauer. Der Pastor vom Michel. Für Dragqueen Olivia Jones ist die Ritze »einer der letzten Punkte im Kiez-Kosmos, an denen die Zeit stehengeblieben ist«. Der Abendblatt-Reporter Jens Meyer-Odewald meint: »Das Kunstwerk Ritze entspringt einer Zeit, in der die Reeperbahn verrucht, indes noch einen Hauch romantisch war.«

Wer in die Ritze will, muss durch gespreizte Frauenbeine in Nylons und roten High Heels. Erwin Ross hat sie gemalt, der »Rubens der Reeperbahn«. Drinnen sind die Wände mit Autogrammkarten und Erinnerungsfotos tapeziert. Heinz Hoenig. Otto Waalkes. Uwe Seeler. Die Kiez-Originale »Dakota-Uwe«, »Brillanten-Paul«, »Der Hundertjährige«. Die meiste Zeit hat Hanne Kleine die Kaschemme geführt. Jetzt ist Carsten Marek der Chef. In den 1980ern war er Boss der Marek-Bande. 200 Frauen sollen für die Organisation angeschafft haben.

Eine schmale Treppe führt hinunter in den legendären Boxkeller. Im Ring und an den Sandsäcken haben die Klitschko-Brüder, René Weller, Henry Maske, Graciano Rocchigiani und Eckhard Dagge trainiert, zweiter deutscher Profiweltmeister nach Max Schmeling. Carsten Marek will, dass wieder mehr geboxt wird in der Ritze. Jetzt hauen sich auch Frauen auf die Zwölf.

Adresse Reeperbahn 140, Hinterhof, 20359 Hamburg, Tel. 040/3193946 | Hochbahn U3, Haltestelle St. Pauli; S1, S3, Haltestelle Reeperbahn; Bus 16, 36, 37, 111, 112, Haltestelle Davidstraße | Öffnungszeiten Mo–Mi und 17–2 Uhr, Do 17–4 Uhr, Fr, Sa 14–6 Uhr, So 14–2 Uhr | Tipp Auf Höhe des Hauses Reeperbahn 170 steht der Nobistor-Grenzpfahl. Er markierte bis 1938 die Grenze zwischen Hamburg und der bis dahin unabhängigen Stadt Altona.

90__Das Salambo

Bühnen-Sex mit Dracula

Es war ein Stellungskrieg. Die Kombattanten: Oberamtsrat Kurt Falck, Chef des Ordnungsamtes, in der Presse der »Säuberer von St. Pauli« genannt. Und René Durand, der »Sex-Papst«, schwarzmähniger Franzose mit Musketierbart und weit aufgeknöpftem Hemd. KZ-Überlebender, Geschäftsmann und Chansonnier, ein Verrückter. Sie kämpften in einer Zeit, in der Voyeure wegen der Schulmädchen-Reports die Kinos stürmten, aber die Vorschrift galt, dass öffentliche Nacktheit spätestens fünf Zentimeter über dem Gummi des Slips zu enden habe. Ein Vierteljahrhundert duellierte man sich.

René Durand, schillernde Kiezgröße und dort »Papa Dudu« genannt, eröffnete in den 1960er Jahren an der Großen Freiheit sein Erotiktheater Salambo. Er inszenierte Live-Sex auf der Bühne! Die Darsteller trugen Rokoko-Kostüme oder Trachten, waren mal Dracula, mal Biene Maja. Er wolle »den plumpen Striptease-Nepp zu künstlerischen Szenen verdichten«, verteidigte sich der Impresario mit Kabarett-Lizenz. Seine Sexartisten mit Stehvermögen ließ er zu Klassik und Blasmusik kopulieren. Auch lesbische und schwule Nummern schieben – damals gewagt. In einem Aquarium verwöhnte eine Nixe zwei Taucher mit dem Mund.

Die Fleischbeschauer des Oberamtsrats wurden Augenzeugen einer Darbietung, »bei der auf einer flachen Bank von zwei nackten Paaren der Geschlechtsverkehr in verschiedenen Varianten vollzogen wurde. Das Ganze wurde von aus einem Lautsprecher dringendem Stöhnen untermalt«. Zigtausenden hat's gefallen, aus Tokio und New York wurden Karten vorbestellt. Für Kurt Falck waren die »sittenwidrigen Darstellungen« Anlass, den Gastronomen mit immer neuen Geldbußen zu bestrafen und das Theater zuzusperren. Sein Maître de Plaisir fand Wege, es wieder zu öffnen. Erst Ende des vergangenen Jahrhunderts erschlaffte das bumsfidele Treiben. Das alte Salambo ist heute der gesetzestreue Tabledanceclub Dollhouse.

Adresse Große Freiheit 11, 22767 Hamburg, Tel. 040/31796988 | Hochbahn U 3, Haltestelle St. Pauli; S 1, S 3, Haltestelle Reeperbahn; Bus 16, 36, 37, 111, 112, Haltestelle Davidstraße | Öffnungszeiten So–Do 21–4 Uhr, Fr, Sa 21–5 Uhr | Tipp In den 1970er Jahren ist das Salambo in den Star-Club umgezogen, wo die Beatles 1962 monatelang umjubelt wurden. Auch Jimi Hendrix, Ray Charles und Jerry Lee Lewis sind hier aufgetreten. Auf dem Gelände steht ein Gedenkstein (Große Freiheit 39).

91 Das Seewetteramt

Worauf Kapitäne sich verlassen können

Fünf Kinder, die vor den Augen des Vaters ertrinken! Vielleicht ist diese die größte aller Familientragödien der an Tragik übervollen Sturmflutnacht vom 16. auf den 17. Februar 1962. Familie B. bewohnt damals eine Laube des Gartenvereins Maakenwerder Grund in Waltershof. Irgendwo musste man ja unterkommen, 16 Jahre nach dem Krieg fehlt es noch immer an Wohnraum. Die Familie schläft, als es unter den Dielen zu gluckern beginnt. Das schmutzige Wasser steigt schnell. Mutter Christel packt sich ihren Jüngsten, noch Baby, rennt mit ihm zur Schule. Vater Ernst klemmt sich Heike, drei Jahre alt, und Brigitte (vier) unter die Arme. Rüdiger (zehn), Holger (acht), Angelika (sieben) und Christa (fünf) bilden eine Kette und laufen dem Vater nach. Damit es schneller geht, setzt der Schlosser fünf Kinder in einen Bollerwagen, zieht ihn, Heike trägt er auf dem Arm. Er will alle über den Deich in Sicherheit bringen. Plötzlich bricht der Deich. Die Wassermassen hauen Ernst B. von den Füßen. Heike kann er halten. Aber der Bollerwagen mit den Geschwistern entgleitet ihm. Noch einmal tauchen Rüdiger und Christa eng umklammert vor ihm auf. Dann spült die Welle auch sie davon.

1962 gibt es kein Wetterradar und keine Wettersatelliten. Trotzdem hatten das Seewetteramt schon um 10.48 Uhr vor Nordweststurm mit Orkanböen und das Deutsche Hydrographische Institut vor einer schweren Flut gewarnt. Die Behörden und Rettungsdienste waren also alarmiert – aber keiner informierte die Bürger! Die erste Warnung wurde nach 20 Uhr über Mittelwelle gesendet. Zwei Stunden später auch im Fernsehen (siehe Ort 58).

Der Seewetterdienst ist heute Teil des Deutschen Wetterdienstes in der früheren Navigationsschule. Ein globales Mess- und Beobachtungsnetz, Wetterballons und Satelliten liefern stündlich Tausende Daten, die im Superrechner zur Vorhersage verarbeitet werden. Auch Schiffs- und Flugkapitäne melden ihre Beobachtungen.

Adresse Bernhard-Nocht-Straße 76, 20359 Hamburg, Tel. 069/80620 | Hochbahn U 3, S 1, S 3, Haltestelle Landungsbrücken; Bus 2, Haltestelle St. Pauli Hafenstraße; Bus 111, Haltestelle Bernhard-Nocht-Straße | Öffnungszeiten Kein Publikumsverkehr. Das historische Gebäude mit seinen Türmen ist am besten auf seiner anderen Seite vom Fußweg an der Geestkante aus zu sehen. | Tipp Neben dem Seewetteramt steht das Bernhard-Nocht-Institut, Deutschlands führendes Haus für Tropenmedizin.

92 Das Sperrgebiet

Mit Abstand!

Keinen Berufsstand hat der Corona-Lockdown härter getroffen als den der Sexarbeiterinnen und Sexarbeiter. Nur für wenige Wochen war ihnen vor der zweiten Welle erlaubt, ihrem Job nachzugehen. Unter strengen Auflagen: nicht im Auto, nur in angemeldeten Räumen. Mit Maskenpflicht für die Freier und auch für die Damen, soweit das technisch ging. Mit Termin und Kontaktdaten der Kunden. Außerdem war »das Gewerbe nur im Verhältnis 1:1 zu betreiben«. Das Hygienekonzept hat funktioniert. Es gab keinen einzigen Fall einer Covid-Infektion.

An der nur hundert Meter langen Herbertstraße haben alle Häuser eine Bordell-Konzession. In den 1920er Jahren wurden sie überhaupt nur für den Zweck der Prostitution gebaut. Nachts tauchen Scheinwerfer die Gasse in eine bonbonfarbige Lichtorgie. Hinter Schaufenstern sitzen auf Hockern die Sexarbeiterinnen in leuchtenden Dessous im Schwarzlicht. 2.100 Prostituierte sind bei der Sozialbehörde gemeldet, 250 schaffen in der Herbertstraße an. Sie sind Einzelunternehmerinnen, mieten ihre Zimmer täglich neu. Alle Häuser werden von Frauen bewirtschaftet. Zur Nazi-Zeit war Prostitution verboten. Weil aber dem Hamburger Gauleiter klar war, dass sich das auf dem Kiez nicht würde umsetzen lassen, ließ er an beiden Enden des Gässchens Sichtblenden aufstellen. Damit im Vorbeigehen keiner sehen konnte, was nicht sein durfte. Auch die Marine hatte interveniert. Nach dem Krieg hat man die Barrieren einfach stehen lassen, sie sind also noch Originale.

In der Corona-Zeit haben die Prostituierten unter dem Motto »Sexy Aufstand Reeperbahn« für eine Lockerung des Berufsverbots demonstriert. Künstler und die Diakonie, die mit ihrer »Beratungsstelle Sperrgebiet« den Sexarbeiterinnen auch sonst hilfreich ist, unterstützten die Aktion. Man befürchtete, die Prostitution verlagere sich sonst ins Illegale, die Frauen seien dann verstärkter Gefahr ausgesetzt.

Adresse Herbertstraße, 20359 Hamburg | Hochbahn U 3, Haltestelle St. Pauli; S 1, S 3, Haltestelle Reeperbahn; Bus 16, 36, 37, 111, 112, Haltestelle Davidstraße | Tipp Beatle Paul McCartney und Bandkollege Pete Best waren 1960 für eine Nacht Zelleninsassen auf der nahen Davidwache. Paul hatte in der Unterkunft mit einem Kondom gekokelt. Sie wurden wegen Brandstiftung angezeigt (Spielbudenplatz 31).

93 Die Stadionwache

St. Paulianer bezahlen sie

Dem FC St. Pauli bescheinigt der Psychologe Sebastian Pusch, dass er sich »deutlich vom Rest der Fußballlandschaft differenziert« und das Bild eines »linken, unangepassten und kreativen Vereins« vermittle. Der Totenkopf auf der Fan-Fahne soll provozieren, ist Symbol fürs Anderssein. Sinnbild für die Rolle des Underdogs im Wettbewerb mit den reichen Clubs, gegen die der FC St. Pauli trotz geringer finanzieller Möglichkeiten beachtliche Erfolge auflisten kann. Immerhin kann man sich »Weltpokalsiegerbesieger« nennen, seit die Kicker den übermächtigen FC Bayern München geschlagen haben.

»St. Paulis Familie ist bunt«, schreibt das Abendblatt. »Jung und alt, chic und lässig, weiblich und männlich, Singles, Paare, Familien.« Ein großer Teil der Fans versteht sich ausdrücklich als politisch, gerne linksalternativ. Die St. Paulianer haben als erster deutscher Profiverein »Regeln gegen sexistische und rassistische Äußerungen« in ihrer Stadionordnung festgeschrieben. Zusammen mit einer Drogeriemarktkette hat man das Duschgel »AntiFa« auf den Markt gebracht, ein Wortspiel aus »Antifaschismus« und der Kosmetikmarke »Fa«. Mit dem Erlös wurde die Initiative »Laut gegen Nazis« unterstützt.

Zum Anderssein passt die Entstehungsgeschichte der neuen Polizeiwache am Millerntor-Stadion. Erst sollte sie beim Umbau der Osttribüne preisgünstig in diese integriert werden. Aber Totenkopf und Schlagstock unter einem Dach, da gingen die Fans auf die Barrikaden. Der Kompromiss: Man hat die Wache draußen am Zugang zur Nordtribüne gebaut. Über einen Aufschlag auf die Tickets finanzieren die St. Paulianer die Wache mit. Kameras überwachen den Zweckbau. Das garantiert offenbar, dass die kunstvollen Fußball-Graffiti erhalten bleiben. Die Wache ist bei Heimspielen des FC St. Pauli besetzt. Beim Public Viewing auf dem Heiligengeistfeld. Und dreimal im Jahr, wenn Hamburger Dom ist, der größte Rummel im Norden.

Adresse Heiligengeistfeld 1, 20359 Hamburg, Tel. 040/428651610 | Hochbahn U 3, Haltestellen Feldstraße und St. Pauli; Bus 3, Haltestelle Feldstraße; Bus 17, Haltestelle Paulinenstraße | Tipp Am Haupteingang des Stadions steht ein Gedenkstein für die Brüder Otto und Paul Lang. Weil sie Juden waren, hatte ihr Verein SV St. Georg sie 1933 ausgeschlossen. Der FC St. Pauli nahm sie auf, sie gründeten die Rugby-Abteilung (Harald-Stender-Platz).

94__Der Musical-Boulevard

Skyline im Breitwandformat

Ein Dutzend Krane schraubt sich rechts in die Höhe. Dort, wo am Strandkai und am Magdeburger Hafen die HafenCity erweitert wird und der Quadratmeterpreis der Wohnungen bis zu 15.000 Euro kosten soll. Daneben das Unilever-Haus und der Marco Polo Tower, dessen geschwungene Geschosse sich versetzt um die Achse des Gebäudes drehen. Weshalb die FAZ es als »effektvoll zerdellten Trichter« beschrieben hat und der Volksmund den Turm einfach »Dönerspieß« nennt. Dominant gegenüber die Elbphilharmonie, ihre viel schönere Seite direkt am Wasser. Links davon das Columbus-Haus, die Kirche Sankt Katharinen, das Mahnmal Sankt Nikolai (siehe Ort 12). Die Cap San Diego, größter Museumsfrachter der Welt, und der Dreimast-Segler Rickmer Rickmers (siehe Ort 83). Der Michel. Noch weiter links die Tanzenden Türme, die St. Pauli Landungsbrücken, das Bernhard-Nocht-Institut für Tropenmedizin.

Der Blick von hier aus ist der vielleicht spektakulärste auf die Stadt. Wie im Breitwandformat entrollt sich die Skyline. Aber viele Hamburger kommen nicht auf diese Seite der Elbe. Auf den Musical Boulevard, nur wenige hundert Meter lang, zieht es jedoch die Liebhaber aufwendiger Showacts. Nach New York und London ist Hamburg drittgrößte internationale Musical-Metropole. Vier Theater bespielt das Unternehmen Stage Entertainment in der Hansestadt. Am Boulevard stehen das Theater im Hafen und das Theater an der Elbe nebeneinander. Millionen haben sich von »Das Wunder von Bern«, »Ich war noch niemals in New York«, »Pretty Woman« oder »Die Eiskönigin« verzaubern lassen. Seit 23 Jahren wird Disneys »Der König der Löwen« gezeigt.

Joop van den Ende, Gründer des Unternehmens, hat Teile seiner Kunstsammlung in diese Theaterwelt integriert. Am Boulevard steht auf spindeldürren Beinen einer der Elefanten von Salvador Dalí. Kritiker sagen, »Dalís Elefanten stehen für die Zukunft und sind Symbol der Stärke«.

Adresse Am Fährkanal/Rohrweg 13, 20457 Hamburg, Tel. 01805/4444 (Ticket-Hotline Stage Entertainment) | **Hochbahn** S 1, S 3, Haltestelle Landungsbrücken, zu Fuß durch den Alten Elbtunnel; Bus 156, 256, Haltestelle Norderloch; Fähre 73 ab Landungsbrücken Brücke 1, Anleger Theater im Hafen | **Tipp** Der Boulevard ist auch Museumsmeile. Ausladende Nanas der Pop-Art-Künstlerin Niki de Saint Phalle sind farbenfroher und lebenslustiger Blickfang.

95 Die Pylonen

Luftschlösser überm Köhlbrand

Nur die kühne Vision der Architekten Timo Reimer und Sven Breuer? Sie haben skizziert, was sich mit den Pylonen machen ließe, wenn die Köhlbrandbrücke, der Triumphbogen des Hafens, ab 2040 zurückgebaut wird. Das Mittelstück zwischen den 135 Meter hohen Pylonen fällt dann weg. Die Pfeiler möchten sie stehen lassen. Anstatt die Fahrbahn, jetzt von 88 armdicken Stahlseilen gehalten, sollen die Pylonen mehrstöckige, verglaste Gebäude tragen, die wiederum wie Gondeln an Seilen abgehängt sind. Ihre Geschosse verjüngen sich nach oben. Das unterste sehen die Architekten in 40, das oberste in 80 Meter Höhe.

Als die Köhlbrandbrücke 1974 eingeweiht wird, feiert man sie als »Golden Gate von Hamburg«, von Paul Boué und Egon Jux entworfen. Drei Tage ist sie für Fußgänger geöffnet, 600.000 Menschen kommen. Ein Jahr später wird das Bauwerk als »schönste Brücke des Kontinents« geehrt. Sie überspannt den Köhlbrand, einen Seitenarm der Süderelbe, verbindet die Stadtteile Steinwerder und Waltershof. Aber »die Köhle« ist in die Jahre gekommen. Die Brücke noch einmal zu ertüchtigen, würde die Kosten eines Neubaus überschreiten. Zudem versperrt sie mit einer Durchfahrtshöhe von 53 Metern den Container-Riesen den Weg zu Hamburgs modernstem Hafen-Terminal Altenwerder. Lange war ein zweigeschossiger Tunnel unterm Köhlbrand im Gespräch. Zu teuer! Jetzt plant man einen Brückenneubau, 74 Meter hoch. Frühestens 2030 könnte Baubeginn sein. Man rechnet mit Kosten von mehr als fünf Milliarden Euro.

Die Politiker sind sich einig, die Pylonen, längst Wahrzeichen, nach Möglichkeit zu erhalten. Den Architekten ist das zu wenig. »Die Pylonen ohne Funktion sähen aus wie ein Kriegerdenkmal, eine bloße Erinnerung«, sagt Sven Breuer. Er und sein Kompagnon planen weiter: eine Seilbahn, die von Steinwerder und Waltershof zu den Pylonen aufsteigt und den Köhlbrand in 80 Meter Höhe überquert. Eine Sensation!

Adresse Köhlbrandbrücke, 20457 Hamburg und 21129 Hamburg | Hochbahn Bus 151, Haltestelle Zollamt Waltershof; Bus 256, Haltestelle Roßdamm | Tipp Unbedingt mit dem Auto von Steinwerder nach Waltershof über die Brücke fahren. Nirgendwo sonst hat man einen solchen Panoramablick über den Hafen. Halten und aussteigen darf man leider nicht.

96 Der Giraffen-Mann

Einfach mal putzen

Dass die Hagenbeckschen Völkerschauen von 1874 bis 1932 rassistisch waren, ist nicht diskutabel. Widerwärtig waren die Spektakel. Aber Carl Hagenbeck war nicht allein. Sogenannte Kolonialausstellungen waren auch staatlich organisiert. Im »Negerdorf« haben sich 1896 in Berlin hundert Bewohner Afrikas sieben Monate lang als »Wilde« anstarren lassen müssen. Auf der Münchner Wiesn wurden die »Kanaken der Südsee« vorgeführt. Noch 1955 stand auf einem Plakat des Circus Knie in Zürich: »Afrika ruft, Sitten- und Völkerschau. Neger aus dem Sudan.« Hagenbeck ließ Lappländer, Massai, Beduinen und Inuits beglotzen. Eine Eskimo-Dorfgemeinschaft starb an Windpocken, man hatte vergessen, sie zu impfen. Wirtschaftlich waren die Menschenzoos ein großer Erfolg. Hagenbecks Sioux-Show, die auf Tournee ging, haben eine Million Zuschauer gesehen.

Darüber eine Debatte zu führen, den Kolonialismus aufzuarbeiten, ist wahrlich angebracht. Auch der Tierpark Hagenbeck verschließt sich nicht, ist konstruktiv dabei. Der Streit, der über den »Mann auf Giraffe« geführt wird, ist dagegen alberner Aktionismus und Hysterie. Seit über 20 Jahren steht die acht Meter hohe Plastik des Künstlers Stephan Balkenhol vor dem Haupteingang des Tierparks. Ein Mann klammert sich am Giraffenhals fest. Es sieht aus, als wisse er nicht, ob er rauf- oder runterklettern soll. Er trägt eine schwarze Hose, ein helles Hemd. Das Gesicht ist dunkel. Deshalb könne er als Afrikaner wahrgenommen werden, empören sich Politiker, das sei »Alltagsrassismus«. Die Figur müsse weg.

Die heiter-unbeschwerte Darstellung ist Symbol für ein gutes Miteinander von Mensch und Tier. Die Gesichtszüge des Mannes sind eher europäisch, rassistische Stereotype bedienen sie nicht. Ursprünglich war die Hautfarbe heller. »Das ist eine Bronzeskulptur«, erklärt der Künstler. »Nach 20 Jahren wird sie dunkler.« Sein Tipp: Sie ließe sich reinigen!

Adresse Ecke Lockstedter Grenzstraße / Koppelstraße, 22527 Hamburg, Tel. 040/5300330 | Hochbahn U 2, Bus 22, 181, 281, 391, 392, Haltestelle Hagenbecks Tierpark | Öffnungszeiten Tierpark täglich 9–18 Uhr, im Winter 9–16.30 Uhr; Tropen-Aquarium täglich 9–18 Uhr | Tipp Das Elefantentor im Tierpark war früher der Haupteingang. Das Jugendstilbauwerk mit Elefantenköpfen, Bären und Löwen hat der Theaterarchitekt Moritz Lehmann entworfen. Mit der Erweiterung des Parks verlor es seine Funktion.

97 Die Draußen-Galerie

»Lieb sein« und »Hallo Karlo« sind Stars

Großflächige Fassaden-Graffiti, in der Szene Murals genannt. Kleinformatige Paste-ups, Plakate, mit Kleister auf Wände gepappt. Grinsegesichter und Buchstabenschnörkel. Liebenswerte Monster und schrille Muster. Dazwischen Botschaften wie »Take me to Sansibar«. Ob auf St. Pauli, im Karo- und Gängeviertel oder eben in der Schanze – manche Straßenzüge sind Bilderbücher. Natürlich gibt es auch die Schmierereien. Aber dazwischen verwirklichen sich wahre Künstler. Hamburg ist Metropole der Urban Street Art. Die lebendigste Kunstausstellung der Stadt findet man auf Mauern. Man muss nur durch die von Altbauten gesäumten Straßen spazieren. Augen auf! Ein Galeriebesuch, der nicht mal Eintritt kostet.

In der Eifflerstraße, der Rosenhofstraße und auf dem Schulterblatt lässt sich kaum eine freie Fläche auf Fassaden, in Hauseingängen, Toreinfahrten und auf Garagentoren finden, die nicht besprüht, bemalt, beklebt ist. Mancher Hausbesitzer hat eigens Graffiti-Künstler bezahlt, damit sie die Mauern so kunstvoll besprühen, dass Schmierfinken sich nicht trauen, sie als Leinwand zu nutzen. Die Szenegrößen, die schon einen Namen haben, eine charakteristische Technik und eine originelle Figur, sind alle vertreten. »Hallo Karlo« und seine weiße Katze mit zugenähtem linkem Auge und spitzen Zähnen. »Lieb sein«, der Sticker und bedruckte Kacheln verklebt. Die Bilder von »Marshal Arts«, er arbeitet mit Schablonen, sind politische Motive. »Späm« ist Urheber des vielgesichtigen Burgers, der mal bedröppelt schaut, mal zufrieden grinst.

Sogar die Deutsche Bahn hat Szenestar »WON ABC« engagiert, um die nahe Station Sternschanze mit grünen Phantasiewesen zu verschönern. Früher hat sie den Künstler wegen des Besprühens von Zügen verfolgt, er wurde zu Geldstrafen und einem halben Jahr Gefängnis verurteilt. An der Ecke Eifflerstraße/Lippmannstraße hat die Feuerwehr ihre Wache mit Brandschützern und Löschfahrzeugen im Stil von Keith Haring bemalen lassen.

Adresse Eifflerstraße, 22769 Hamburg; Rosenhofstraße / Schulterblatt, 20357 Hamburg | Hochbahn U3, S11, S21, S31, Haltestelle Sternschanze; Bus 3, Haltestelle Bernstorffstraße; Bus 15, Haltestelle Schulterblatt | Tipp Die Rote Flora (Schulterblatt 71) versteht sich als »Zentrum für emanzipatorische Politik und Kultur« und »beliebter Störfaktor im Stadtteil«. Das ehemalige Flora-Konzerthaus ist seit mehr als 30 Jahren besetzt.

98 Das Netz des Fischers

Seebär im World Wide Web

Der sehr alte Mann im schwarz-weißen Streifenshirt und mit weiter Hose, die ein Schiffstau hält, trägt eine Seemannsmütze. Ein beeindruckender weißer Rauschebart und buschige Augenbrauen umrahmen sein Gesicht mit tiefen Falten. Im Mundwinkel hängt lässig eine Pfeife. In den linken Oberarm hat der Seebär einen Anker stechen lassen, den rechten ziert das Tattoo eines Windjammers, dessen Segel der Wind aufbläht. Die Unterarme sind übersät mit den Markenzeichen des Netzes, mit Tätowierungen der Logos von Facebook, Xing, Google+, WhatsApp, LinkedIn. Der Mann ist Linkshänder. Er hält ein weißes Smartphone, das per Kabel mit einem Ohrstöpsel verbunden ist, führt konzentriert den Zeigefinger zum Display. Er manövriert sich durch die Social-Media-Kanäle des World Wide Web. Ist er gefangen im Netz?

Das fotorealistische Bild erhebt sich über vier Geschosse an einer zuvor öden Hauswand eines Innenhofs. Die Kreativen der Agentur Beebop auf der anderen Hofseite hatten die graue Tristesse im Blickfeld satt. Sie beauftragten die Künstlergruppe »innerfields«, die Mauer mit einem gesellschaftspolitischen Thema zu gestalten. Das Trio hat als Graffitisprayer angefangen, wird inzwischen wegen seiner Fassadenmalerei im XXL-Format weltweit gebucht. Die Künstler reflektieren in ihren Arbeiten ihre Umgebung in figurativen Motiven. Das Thema war schnell gefunden. »Globalisierung durch Schiffe und Matrosen gab es schon lange, bevor es das Internet gab. Was den Fischer zu einem vielschichtigen Motiv macht und Hamburg zum perfekten Ort für dieses Wandbild«, so interpretiert Beebop das Kunstwerk.

Jakob Tory Bardou, Veit Tempich und Holger Weißflog, die drei von »innerfields«, haben von einer Kranhebebühne aus gesprayt und gepinselt. Sich von oben nach unten vorgearbeitet. Sie hatten viel Spaß. »Wir mögen es, kritische Gedanken aufzutragen«, sagt das Trio. »Gerne mit Witz und Ironie.«

Adresse Lippmannstraße 59, Hinterhof, 22769 Hamburg | Hochbahn U3, Haltestelle Sternschanze; Bus 3, Haltestelle Bernstorffstraße | Öffnungszeiten Der Hof ist jederzeit zugänglich. | Tipp Durch einen begrünten Torbogen auf der anderen Straßenseite geht's zum Kilimanschanzo im Florapark. Der 26 Meter hohe Bunker ist Hamburgs höchster Kletterklotz, von oben bis unten mit Graffiti bemalt (Zugang zwischen Lippmannstraße 60 und 62).

99_Die Susannenstraße

Wird die Szenemeile zum Ballermann?

Galão-Strich nennen die Schanzenviertler einen Platz an der Straße Schulterblatt. Großes Balzkino wird zelebriert. Man hockt vorm Portugiesen, schlürft seinen Galão, Milchschaum mit Espresso. Die ziemlich besten Freundinnen verdrehen sich die Köpfe nach knackigen Kerlen. Jungs flirten mit Mädels in bevorzugt hautengen Klamotten. Stundenlang kann man sich so amüsieren. Dass auf der anderen Straßenseite Wohnungslose mit ihren Reichtümern in Aldi-Tüten sich auf den Stufen der Roten Flora eingerichtet haben – stört doch keinen. Der Galão-Strich war mal der trendigste Ort im gehypten Szeneviertel. Jetzt drängt sich ums Eck die Susannenstraße vor.

Altbauten mit Gründerzeitfassaden. Wo nicht Werbeagenturen und Anwälte ihre Büros haben, wohnen noch Menschen. Aber das Thema Gentrifizierung ist fast durch. Explodierende Mieten vertreiben die Alteingesessenen. Nur jeder zehnte Bewohner ist Rentner. Die Susannenstraße ist überlaufene Meile für junge Leute. Krimskramsläden, Urban-Chic-Geschäfte, Schnöselketten wechseln sich ab mit urigen Cafés und hippen Bars. Man bekommt »ganztägig Frühstück« bis morgens um zwei. Kann beim Weinhändler auch handgenähte Schuhe kaufen. Zum Chicken Bangalore Curry bestellt man ein indisches Bier für drei Euro und entspannt danach beim »Hair Care und Day Spa«, beim coolen Friseur mit Kosmetikstudio. Die Anwohner protestieren: »Kein Ballermann in der Susannenstraße!«

Andreas Burgmayer, Reporter beim Abendblatt, hat in der Susannenstraße gewohnt. Er sagt: »Die Schanze schillert und glänzt, birst vor Energie und Kreativität. Sie ist nie angepasst und doch lächerlicher Mainstream. Widerspruch und Zustimmung.« Das gentrifizierte Revoluzzerviertel ist Hamburgs gallisches Dorf. Ein Platz für alternative Ideen von urbanem Zusammenleben mit großer Solidarität der Bewohner. Grüne und Linke haben hier die Mehrheit. Die Union kommt auf drei Prozent.

Adresse Susannenstraße, 20357 Hamburg | **Hochbahn** U 3, S 11, S 21, S 31, Haltestelle Sternschanze; Bus 15, Haltestelle Schulterblatt | **Tipp** Die Bullerei von Schnellsprech-Fernsehkoch Tim Mälzer ist Restaurant und Bistro Deli in der alten Viehmarkthalle (Lagerstraße 34 B, am Ende der Susannenstraße über die Schanzenstraße).

100 Die Kirche Finkenau

Passt genau!

Hamburg hat zwar seit Ende des vergangenen Jahrtausends einen katholischen Erzbischof, der von hier aus auch zuständig ist für die Kirchen in Schleswig-Holstein, in Mecklenburg, in Osnabrück und in Hildesheim. Aber der Katholizismus hat es immer schwer gehabt in der Stadt. Nach der Reformation war er sogar verboten. Im Rat hatten Lutheraner das Sagen. Das änderte sich, als die Kaufleute erkannten, dass mit religiöser Toleranz bessere Geschäfte zu machen sind. Dass sie für Industrialisierung, Handel und den Ausbau des Hafens auf Arbeitskräfte von außerhalb nicht verzichten konnten. Alle brachten eigene Religionen mit. Heute sind ein Viertel der Hamburger evangelisch, zehn Prozent katholisch, 140.000 muslimisch. 120 weitere Glaubensgemeinschaften gibt es in der Stadt. Experten meinen, Hamburg habe in Deutschland die größte Vielfalt an Konfessionen.

Die katholisch-apostolische Bewegung mit wenigen hundert Mitgliedern ist eine von ihnen. Gegründet wurde sie im 19. Jahrhundert. Zwölf Männer wurden zu Aposteln berufen, die Engel, Propheten und Hirten als Amtsträger ernennen durften. 1863 hat sich die Kirche gespalten. Einige Apostel meinten, es könne nach ihnen keine Nachfolger geben. Andere wollten selbst neue Apostel benennen. Aus dieser Gruppe ist die neuapostolische Kirche entstanden. Der letzte Apostel der katholisch-apostolischen Kirche ist 1901 gestorben. Neue Amtsträger wurden seither nicht berufen. Die apostolischen Kirchen warten auf das zweite Kommen Jesu, der die Christen verschiedener Konfessionen zusammenführen werde. Ein ökumenischer Gedanke.

Weil es keine Engel, Propheten und Hirten mehr gibt, werden auch in der katholisch-apostolischen Gemeinde in der Finkenau nur noch Fürbitten-Gottesdienste gehalten, Laien lesen alte Predigten vor. Die Kirche, 1899 gebaut, ist eingezwängt von zwei alten Bürgerhäusern. Sechs Balkone ragen über den kleinen Kirchhof.

Adresse Finkenau 3A, 22081 Hamburg | Hochbahn U3, Haltestelle Mundsburg; Bus 37, Haltestelle Finkenau | Tipp In der alten Frauenklinik, geplant von Architekt und Oberbaudirektor Fritz Schumacher, ist heute der Kunst- und Mediencampus untergebracht (Finkenau 35). Die Handschrift von Schumacher (1869–1947) findet sich überall in Hamburg. Er hat die Backsteinbauweise kultiviert.

101__Das Bubendey-Ufer

Ein verwegener und verbotener Ort

Der Hafen hat Ecken, da trifft man selten Menschen. Nur Kenner wissen von der wilden Romantik am Bubendey-Ufer. Der Ort ist nicht schön, aber einzigartig. Wer ihn erreicht, hat vom wilden Gestrüpp aus einen spannenden Blick in den Parkhafen. Hier drehen Schlepper die Container-Riesen, die von der Elbe abbiegen. Hier werden sie rückwärts in den Waltershofer Hafen bugsiert. Nirgendwo sonst kommt man diesem aufregenden Manöver so nah. Der Ort ist nicht verwunschen, verwegen ist das bessere Wort. Ein bisschen verboten ist er auch.

Am einfachsten erreicht man das Ufer mit der Fähre von den Landungsbrücken aus. 20 Minuten dauert die Reise. In der Regel ist man der einzige Passagier, der aussteigt. Es steigt auch keiner zu. Links steht der Leuchtturm Unterfeuer Bubendey-Ufer, der zusammen mit dem höheren Oberfeuer die Hafeneinfahrt markiert. Hier geht's lang. Früher konnte man über Kopfsteinpflaster durch eine Pappelallee laufen. Ein vermögender Hamburger ließ sie vor über hundert Jahren pflanzen, weil er vom anderen Ufer aus die hässlichen Petroleumtanks nicht sehen wollte, die hier standen. Dieser Weg ist heute versperrt, die meisten Tanks sind abgebaut, die Pappeln sollen weg. Das Areal ist Hafenerweiterungsgebiet. Aber seit 30 Jahren ist nichts passiert.

Ein Trampelpfad zwischen Elbufer und einer Flutschutzmauer, mit Graffiti dekoriert, führt zum Ziel. Man steigt über Müll, den Hochwasser abgelagert hat. Ab und zu lockt eine Eisenleiter, über die Mauer zu schauen. Nach einem Drittel der Strecke mahnt ein Schild am Zaun: »Betriebsgelände. Betreten verboten.« Die Tür im Zaun steht eigentlich immer auf. Eine Biegung noch, nach anderthalb Kilometern ist ein Aussichtsgerüst erreicht. Und Dickschiffe zum Anfassen!

Wer vom Anleger rechts geht, kommt zum Seemannshöft, Lotsenstation und nautische Zentrale. Hier wird der gesamte Schiffsverkehr im Hafen koordiniert.

Adresse Bubendeyweg / Am Jachthafen, 21129 Hamburg | Hochbahn Fähre 62, Anleger Bubendey-Ufer; Bus 451, Haltestelle Bubendey-Ufer Fähre | Tipp In Sichtweite liegt auf der anderen Elbseite am Övelgönner Strand der »Alte Schwede«. Der Großfindling mit 20 Meter Umfang, viereinhalb Meter Höhe und 217 Tonnen Gewicht wurde beim Ausbaggern der Fahrrinne gehoben. Gletscher der Eiszeit haben ihn poliert.

102 Der Club Duckdalben

Für Seeleute ein sicherer Hafen

Mal runter vom Schiff, das sich oft anfühlt wie ein schwimmendes Gefängnis. Mal etwas anderes sehen als Wasser und im Hafen nur Stahl, Beton, Asphalt. Ein Shuttlebus holt Seeleute gerne ab am Kai, bringt sie in einen blühenden Garten, der zur Seemannsmission Club Duckdalben gehört. Eine Ente (englisch: duck) ist sein Erkennungszeichen. Die Menschen, die sich hier um die Seemänner kümmern, sind die »Duckies«. Der Name des Clubs leitet sich ab von den Duckdalben, stabile Pfähle, die man in den Hafengrund rammt. An ihnen finden Schiffe Halt.

Missioniert wird niemand. »Wir sprechen die Seeleute als Freunde an«, sagt Diakon Jan Oltmanns, viele Jahre Chef im Club. »Sie sind für uns unterwegs. 90 Prozent der Dinge, die wir nutzen, kommen über den Seeweg.« Der Backsteinbau mit Wintergarten-Bibliothek ist Kneipe, Ersatzwohnzimmer und Ruhezone. Hier können die Männer mit ihren Familien telefonieren oder skypen, die sie oft über viele Monate nicht sehen. Manche überweisen Geld. Billardtische und Kicker sind gut besucht, im Garten wird Basketball gespielt. Wer reden will, weil Sorgen ihn bedrücken, kann reden. Die »Duckies« versuchen, Probleme zu lösen. Wenn einer Trost sucht. Wenn die Heuer nicht pünktlich bezahlt wird. Wenn jemand krank ist.

Im Obergeschoss in einem Oval kleine Altäre. Für Hindus, Buddhisten, Moslems, Juden und Christen ein Ort, um zu beten. Unten im großen Gastraum stehen ein Klavier, Gitarren, Trommeln. An der Decke Rettungsringe, an einer Wand fernöstliche Masken. Das Regal hinter der Bar ist ein kleiner Supermarkt fürs Nötigste und Besondere wie Snacks und Chips, die man sonst nur im Asia-Laden findet. Mehr als die Hälfte der 33.000 Besucher im Jahr sind Filipinos, gefolgt von Indern, Chinesen, Ukrainern. Willkommen ist auch, wer kein Seemann ist. Die Seeleute haben international abgestimmt. Der Club Duckdalben ist für sie der beste Seemannsclub der Welt.

Adresse Zellmannstraße 16, 21129 Hamburg, Tel. 040/7401661 | Hochbahn Bus 151, Haltestelle Zollamt Waltershof; Bus 451, Haltestelle Container Terminal Eurogate | Öffnungszeiten unter www.duckdalben.de | Tipp Beim Club erinnert ein Gedenkstein an die Opfer der Flutkatastrophe von 1962, die in Waltershof ertranken. 44 Namen!

103__Die Container-Ballerinas

Computer schreiben die Choreographie

Studien besagen, dass der Umschlag mit Stückgut in drei Jahrzehnten um 40 Prozent schrumpfen könnte. Weil man dann vieles ums Eck im 3D-Drucker herstellen kann und etwa Sportschuhe nicht mehr aus Asien holt. Noch ist es anders. Noch landen täglich Container-Riesen im Hafen an, bepackt mit Tausenden Boxen aus Blech. 9,3 Millionen dieser Kisten wurden 2019 umgeschlagen, 600.000 mehr als im Jahr zuvor. In Corona-Zeiten waren es weniger. 2024 wieder um die acht Millionen.

Wenn am Burchardkai oder Predöhlkai, am Terminal Tollerort oder Altenwerder Fracht gelöscht oder ein Schiff beladen wird, sind langbeinige Portalhubwagen die fleißigsten Helfer. Die wendigen Spezialfahrzeuge auf acht Rädern transportieren die bunten Kisten, bringen sie zur Lastwagenkolonne oder zum Güterzug, stapeln sie übereinander. Straddle Carrier ist die internationale Bezeichnung solcher Hubwagen. Van Carrier sagt man in Hamburg. Das rollende Portal fährt über den Container, mit einem Greifer (Spreader) hebt er diesen an, schleppt die Kiste zum Zielort. Bis zu 16 Meter hoch ist ein Van Carrier, so kann er vier Blechbüchsen übereinanderstapeln. Der Fahrer sitzt in einer gläsernen Kabine wie am Dachfenster eines vierstöckigen Hauses. Entsprechend hoch sind auch die Verkehrsschilder auf dem Gelände. Unfälle gibt es trotzdem. Zweimal kippten Hubwagen um. Einmal riss der Greifarm einer Containerbrücke die Glasgondel eines Carriers in die Tiefe.

Schnell muss es gehen. Hunderte Van Carrier flitzen über die Kais. Ein bestens einstudiertes Logistik-Ballett. Die Choreografie kommt vom Computer, der von Radar und Satelliten unterstützt wird. So finden die Ballerinas des Hafens immer den kürzesten und sichersten Weg zum Container. In ihrer Garderobe machen sie Pause – von der Zellmannstraße aus hat man guten Einblick auf den Parkplatz der Stapler. Auch beim Umweltschutz sind sie Vortänzer. Die neueren Modelle sind Hybridfahrzeuge.

Adresse Zellmannstraße, Höhe Haus Nummer 13, 21129 Hamburg | Hochbahn Bus 151, Haltestelle Zollamt Waltershof | Öffnungszeiten Nur von außen einzusehen. | Tipp Weiter auf der Zellmannstraße: Rechts türmen sich Containerstapel, links werden die Containergüterzüge bereitgestellt.

104__Der Hafen Waltershof

Rückwärts einparken für Fortgeschrittene

Das wird eng. Wenn für den Frachter HMM Oslo ein Liegeplatz hinten im Hafenbecken gebucht ist, vorne aber schon links am Burchardkai und rechts am Predöhlkai andere Kähne festgemacht haben, auch keine Dünnschiffe, bleibt nur ein Nadelöhr. Ein großes, zugegeben, aber doch eng genug, dass man die Oslo hindurchfädeln muss. Das Schiff gehört zur Megamax-Klasse der koreanischen Reederei Hyundai Merchant Marine, ist 400 Meter lang, 61 Meter breit. 24.000 Container lassen sich darauf stapeln. Größere Pötte fahren nicht über die Ozeane. Zwölf sind es immerhin.

Im Parkhafen drehen die Schlepper die Oslo. Sie haben sich schon auf den letzten Kilometern elbaufwärts mit dem Schiff vertäut, es angebunden, wie Fachleute sagen. Ein Schlepper am Bug, zwei am Heck. Das Wendemanöver jetzt ist nötig, weil rückwärts in den Waltershofer Hafen eingeparkt wird. Für die Passage zwischen den anderen Schiffen werden die Containerbrücken, die Ladekrane, hochgeklappt. Sie wären im Weg. Im Kriechgang ziehen die Heck-Schlepper die Oslo an den Bordwänden vorbei. Der Bug-Schlepper ist jetzt der Bremser. Maßarbeit! Am besten kann das beobachten, wer eine Hafenrundfahrt gebucht hat und die Barkasse gerade zum rechten Zeitpunkt am Parkhafen angekommen ist. Polizeiboote sichern die Aktion.

Das Terminal am Predöhlkai betreibt der Dienstleister Eurogate. Die Anlagen am Burchardkai werden von der Hamburger Hafen Logistik AG (HHLA) gemanagt. 1.100 Menschen sind hier beschäftigt, an den drei Kilometer langen Kaimauern sind 30 Containerbrücken Tag und Nacht im Einsatz. Zeit ist Geld im Hafen. Für ein Schiff wie die Oslo zahlt der Reeder Zigtausende Euro Liegeplatzgebühr am Tag. Um gegen die Konkurrenz in Rotterdam und Antwerpen zu bestehen, verhandelten Eurogate und HHLA darüber, sich zusammenzutun. »Die Stadt braucht die Fusion«, sagt Hafenexperte Martin Kopp. Die Gespräche sind geplatzt.

Adresse 21129 Hamburg | Tipp Keine Lust, auf einer Barkasse zu schaukeln? Vom Waltershofer Damm aus lässt sich das Treiben im Waltershofer Hafen gut beobachten. Näher kommt man über öffentliche Wege an die Liegeplätze der Container-Riesen nicht heran (Hochbahn: Bus 451, Haltestelle Container Terminal Burchardkai).

105__Das Bunthaus

Jetzt backbords oder steuerbords?

17 Stunden dauerte das Spektakel. Von morgens vier Uhr bis drei Stunden vor Mitternacht. Für Zuschauer am Elbeufer muss es ausgesehen haben wie absurdes Theater. Es hatte einen ernsten Hintergrund. Preußen und Hamburg hatten vertraglich vereinbart, dass ab der Bunthäuser Spitze, wo bei Flusskilometer 609 sich die Elbe teilt, durch die Süderelbe und die Norderelbe gleich viel Wasser zu fließen habe. Damit keiner der Häfen in Hamburg und Harburg, das damals zu Preußen gehörte, benachteiligt würde. Nötigenfalls hätte man durch Umbau des Flussbetts Gleichstand erreichen wollen. Um nun die Wassermenge zu berechnen, hat man zunächst die Fließgeschwindigkeit bestimmt. Von Booten auf der Süder- und Norderelbe aus setzte man Schwimmkörper ins Wasser. Am Ufer waren sogenannte Durchrufer und Stoppuhr-Drücker postiert. Passierte nun einer der Holzschwimmer eine Linie, rief der Durchrufer »Nummer eins durch!« Ein Kollege drückte die Uhr. Von einer Barkasse aus fischte man den Schwimmer aus dem Wasser und brachte ihn zurück zum Boot für den nächsten Durchgang. So ging das, bis es dunkel wurde. Zwölf Boote, vier Barkassen und 60 Männer brauchte man.

Für die Schifffahrt hat man 1913 einen hölzernen Leuchtturm aufgestellt. Nur sieben Meter hoch. 19 Stufen hat die Außentreppe bis zur Plattform mit dem Laternenhaus. Zwei 60-Watt-Birnen sendeten das Signal an die Kapitäne der Flussschiffe: Achtung, hier musst du backbords oder steuerbords entlang! Süderelbe und Norderelbe umschließen die heutigen Stadtteile Wilhelmsburg, Veddel, Kleiner Grasbrook und Steinwerder. Nach 15 Kilometern fließen sie bei Altona wieder zusammen.

Still ist es an der Bunthäuser Spitze. Die Schilflandschaft scheint fast unberührt. Links am Elbufer der Stadtteil Ochsenwerder. Rechts Bullenhausen, schon Niedersachsen. Die Schauspielerin Inge Meysel (1910–2004) hat hier gelebt und in der Elbe gebadet.

Adresse Moorwerder Hauptdeich/Bunthäuser Spitze, 21109 Hamburg | Hochbahn Bus 351, Haltestelle Freiluftschule Moorwerder | Tipp Wo der Fußweg zum Leuchtturm beginnt, liegt das Elbe-Tideauenzentrum. In den Elbeauen gedeiht eine Pflanze, auf die Hamburger so stolz sind wie Chinesen auf ihre Pandas: der Schierlings-Wasserfenchel (geöffnet Sommerzeit Sa, So 11–18 Uhr, Winterzeit So 11–17 Uhr, Dez. geschlossen).

106 Der Energiebunker

Was macht man mit vier Meter dickem Beton?

Wer Hamburg von oben entdecken möchte, kann die 452 Stufen zur Plattform des Michel hochklettern. Der Lift braucht 34 Sekunden. Man kann auf Sankt Petri mit Blick auf den Rathausmarkt steigen, ist dann noch 92 Stufen näher an den Wolken. Die Bar 20up auf dem Empire Riverside Hotel ist der Ort für vornehmen Weitblick. Eine ganz andere Perspektive hat man vom Energiebunker aus. 360-Grad-Panorama. Im Norden die Skyline. Die Tanzenden Türme an der Reeperbahn. Der Heinrich-Hertz-Fernsehturm. Die Elbphilharmonie. Man kann die Hauptkirchen zählen. Im Westen Entladekrane und Containerstapel. Im Süden die Harburger Berge. Im Osten dreht sich auf dem Energieberg (siehe Ort 107) das große Windrad.

42 Meter hoch ist der Bunker. Die Rundum-Terrasse, wo das Café vju seinen Platz hat, liegt auf 30 Meter Höhe. Der Betonkoloss war früher bedrückender Schandfleck. Im Zweiten Weltkrieg suchten bis zu 30.000 Menschen bei Luftangriffen hier Schutz. Gleichzeitig feuerten Soldaten auf dem Dach aus vier Rundtürmen mit Flugabwehrkanonen auf die Bomber. Nach Kriegsende sprengten die Briten im Bunker sechs der acht Etagen. Die bis zu vier Meter dicke Hülle blieb erhalten. 60 Jahre durfte niemand die Ruine betreten.

Bis Anfang dieses Jahrtausends Ingenieure aus dem Klotz ein Ökokraftwerk machten, das gleichzeitig Kriegsmahnmal bleibt. Die Südseite ist mit Fotovoltaikmodulen verkleidet, die Strom erzeugen. Sonnenkollektoren auf dem Dach liefern Wärme. Damit wird ein Speicherkessel im Inneren geheizt, der das Wasser von 13.000 Badewannen fasst. Ein Biogaskraftwerk und ein Holzhackschnitzel-Kessel im Bunker sowie die Abwärme eines nahen Industriebetriebs liefern zusätzlich Hitze. 3.000 Haushalte in der Nachbarschaft werden so mit regenerativer Energie geheizt, für tausend kommt der Strom vom Bunker. Den hat der Urban-Art-Künstler Christian Thomas mit einem Ausblick vom Dach bemalt.

Adresse Neuhöfer Straße 7, 21107 Hamburg | Hochbahn Bus 13, 151, 152, 252, Haltestelle Veringstraße Mitte | Öffnungszeiten Führungen Sa, So 14, 15, 16 Uhr; Café: Sa, So 11–18 Uhr | Tipp Durch den Park Rotenhäuser Feld gegenüber des Bunkers geht es zum »Weltquartier«. In dem Modellprojekt für interkulturelles Wohnen leben Menschen aus 30 Nationen.

107__Der Horizontweg

»Gefährlichster Berg der Welt«

Wehe, der Drache erwacht! Man hat ihm einen drei Meter dicken Panzer verpasst, hofft, dass der hält. Hundert Millionen Euro hat es gekostet, das Ungeheuer zu fixieren. Dutzende Messstationen überwachen, ob es sich regt, zu fauchen beginnt. »Es ist ein gebändigter Drache«, heißt es aus der Verwaltung. »Aber immer noch ein Drache.«

Energieberg Georgswerder heißt der 40 Meter hohe Hügel. Das ist beschönigend. Und trotzdem richtig. Nach dem Zweiten Weltkrieg karren Lastwagen Trümmerschutt an diesen Platz, der vorher Wiese war. In den 1960er Jahren wird darüber Haus- und Sperrmüll gekippt. Dann Industrieabfall, Giftmüll. Flüssig und in Fässern. Lösungsmittel. Lacke. Das Insektizid Parathion, bekannt als E 605 oder »Schwiegermuttergift«. Der ganze Dreck, der anfällt bei petrochemischer Produktion. Man kippt Erde drüber, nennt dies Renaturierung. Glaubt tatsächlich, dass der Hausmüll das Gift schon aufsaugen werde. Bis 1983 am Fuß des Hügels Dioxin austritt, das gefürchtete Seveso-Gift, das bereits in Mikrogrammmengen zum Tod führt, um ein Vielfaches giftiger als Zyankali. Versickerter Regen hat es ausgewaschen. »Der gefährlichste Berg der Welt«, schreiben die Zeitungen. Man deckt den Hügel mit Kunststoff ab, schiebt drei Meter hoch Ton und Kalk darüber. Dieser Regenschirm soll weiteres Ausschwemmen der Gifte verhindern.

Heute werden Methangase, die durch Zersetzung im Müllhaufen frei werden, mit Gasbrunnen gefördert und zum Befeuern der Schmelzöfen an eine nahe Kupferhütte geliefert. Auf dem Hügel drehen sich die Mühlen eines Windparks. Die Fotovoltaikanlage am Südhang ist so groß wie anderthalb Fußballplätze. Der Energieberg liefert für 4.000 Haushalte Strom. Ein futuristischer Steg auf Stelzen, der Horizontweg, 900 Meter lang, führt um den Gipfel. Ein schauriger Gang. Die Reling ist abends beleuchtet. Von der City aus gesehen hat der Drache dann einen Scheinheiligenschein.

Adresse Fiskalische Straße 2, 21109 Hamburg, Tel. 040/25761080 | Hochbahn Bus 154, Haltestelle Fiskalische Straße Energieberg | Öffnungszeiten April–Okt. Di–So 10–18 Uhr, letzter Einlass 17.30 Uhr; Führungen Sa, So 10.30 und 15.30 Uhr (90 Minuten) | Tipp Im Infozentrum erfährt man Wissenswertes über moderne Abfallwirtschaft und Recycling. Nicht weit entfernt bauen Kleingärtner Obst und Gemüse an. Neue Wohngebiete werden ausgewiesen.

108 Der Bootsverleih

Stechen! Ziehen! Heben!

Sobald die Temperaturen steigen, werden alle zu Indianern der Großstadt. Die Alteingesessenen sowieso, die wissen, dass Hamburg auf dem Wasser noch schöner ist als an Land. Und die Quiddjes auch, wie man spöttisch die Zugezogenen nennt. Sie wollen die Stadt auf dem Wasserweg entdecken. Es sieht aus wie Gruppengymnastik. Zu Tausenden schieben sie sich lautlos über die Kanäle. Das Paddel einstechen, dicht am Kanu entlangziehen. Rausheben. Einstechen. Die Seite wechseln. Einstechen. Ziehen. Wieder und wieder. Ein prima Training für Arm-, Rücken- und Bauchmuskulatur. Wer nicht im Kanu oder Kajak unterwegs ist, ist Gummiboot-Kapitän oder macht auf dem Stand-up-Paddling-Brett gute oder lächerliche Figur. Neuerdings auch in der Nacht mit LED-Scheinwerfern unterm Board.

Erlaubt ist alles, was nicht motorisiert ist. 30.000 Wasservehikel aller Art sind auf der Außenalster, den Kanälen und Fleeten im Einsatz. Wer kein eigenes Boot hat, leiht sich eins bei den vielen Vermietern. Der Verleih Zur Gondel am Osterbekkanal ist der größte. Die Formen des »Hamburger Kanus« und des »Alsterkanus« wurden auf der eigenen Werft entwickelt und sind bundesweit ein Begriff. Auch Tretboote, Mannschaftsboote und ein Schwanenboot, Reminiszenz an die Alsterschwäne, liegen am Steg.

Leinen los! Vom Osterbekkanal in den Barmbeker Stichkanal. Stechen. Ziehen. Der Abstecher zum Stadtparksee lohnt sich. Über den Goldbekkanal in den Rondeelkanal. Üppige Weiden bilden ein grünes Gewölbe über dem Wasserlauf. Jetzt rechts halten! Gepflegte Grünanlagen mit uralten Bäumen und eigenem Steg, fleißige Gärtner. Park-Sightseeing bei den Reichen. Weiße, herrschaftliche Jugendstilvillen reihen sich wie eine Perlenkette um den fast kreisrunden Rondeelteich. Von keiner Straßenseite einsehbar, führt nur der Weg über das Wasser zu diesem Ort. Das ist Hamburg. Wie St. Georg, die Schanze und St. Pauli auch.

Adresse Kaemmererufer 25, 22303 Hamburg, Tel. 040/2794184 | Hochbahn U3, Haltestelle Saarlandstraße; Bus 17, 172, 173, Haltestelle Großheidestraße | Öffnungszeiten unter www.bootsvermietung-dornheim.de | Tipp Ums Eck steht das Kranzhaus, eine Wohnanlage der Schiffszimmerer-Genossenschaft. Eine schlanke Frauenfigur an der Fassade erzählt von einer Kaufmannstochter, die nach dem Willen des Vaters ihren Geliebten erst heiraten durfte, wenn er sich auf See bewährt habe. Er heuerte an – verunglückte und kam nie zurück (Großheidestraße 20–30).

109 Der Mühlenkampkanal

Kaffeehaus-Service direkt ins Boot

Hamburg hat mehr Brücken als Venedig und Amsterdam zusammen, behaupten die Hanseaten gerne. Ein gewagter Vergleich, denn Hamburg ist auch von der Fläche viel größer. Genau nachgezählt hat ohnehin niemand. Behörden schätzen ihre Zahl auf 2.500. Dass Hamburg so viele Brücken hat, liegt nahe. Die Stadt umschließt das Binnendelta der Elbe, Alster und Bille mit ihren Nebenflüssen enden hier, es gibt etliche Kanäle und Fleete. Zwei Brücken überspannen den Mühlenkampkanal: das Bauwerk, das die Straße Poelchaukamp trägt, und ein zweites, über das die Körnerstraße führt.

Der Mühlenkampkanal verbindet den Osterbekkanal mit dem Goldbekkanal. Der Mühlenkampkanal ist nicht besonders lang, nur 600 Meter. Aber er ist für Kajakfahrer und Kanuten, Schlauchbootkapitäne und Ruderer, Stand-up-Paddler und Tretbootstrampler, die sich an lauen Tagen auf den Kanälen drängeln (siehe Ort 108), besonders attraktiv. Bis an die Mauern der Wohnhäuser plätschert das Wasser. Das ist doch wie in Venedig! Bei der Poelchaukamp-Brücke serviert das Personal vom Café Canale die Latte macchiato oder den Aperol direkt ins Boot. Der Butterstreuselkuchen vom Blech hat Kultstatus. Fischbrötchen werden auch belegt. Man stoppt sein Kanu unter dem zum Kanal offenen Fenster, klingelt, sichert mit der Halteleine, bestellt, bezahlt – und genießt. Ist es warm, stauen sich die Boote.

Die Stimmung auf dem Wasser bleibt dabei entspannt. Aber die Mühlenkampkanal-Anwohner auf ihren Balkonen sind manchmal entnervt von den Freizeitsportlern tief unter ihnen, die teils mit Musikanlagen und Getränkekisten ausgerüstet sind. »Wie am Ballermann!« »Laute Horden mit Ghettoblastern!« »Die grölen und saufen und nehmen keine Rücksicht!« Solche Zuschriften erreichen das lokale Boulevardblatt Morgenpost dann. Eine Leserin berichtete: »Das sind manchmal so viele, dass man trockenen Fußes über den Kanal laufen könnte.« Ausprobiert hat's noch keiner.

Adresse Mühlenkampkanal, Poelchaukamp 7, 22301 Hamburg | **Hochbahn** Bus 6, 17, 25, Haltestelle Gertigstraße | **Öffnungszeiten** Café Canale Mo–Fr 8–19 Uhr, Sa, So 9–19 Uhr | **Tipp** Kommunikation und Kreativität: Das Goldbekhaus am Goldbekkanal ist das Kulturzentrum des Stadtteils (Moorfuhrtweg 9, vom Mühlenkamp über den Goldbekplatz).

110_Das Promi-Pantheon

Warum ist Angela Merkel nackt?

Stopp! Das Gemälde hat man doch schon mal gesehen. Hängt das nicht in der Alten Pinakothek in München? »Nymphen und Faune« heißt das Werk des flämischen Barockmalers Jacob Jordaens. Eine Gruppe unbekleideter Damen, wohlbeleibt, wird von gehörnten Waldgeistern umtanzt. Aber das ist doch … Das ist Soul-Röhre Amy Winehouse! Und dort: Brigitte Bardot. Heidi Klum. Claudia Schiffer. Model Eva Herzigova mit ausladendem Po. Die Figuren in Jordaens' Bild haben Gesichter, die jeder kennt. Die Faune sind Schauspieler Ben Becker, Sammy Davis Junior, Seal und Hamburgs früherer Bürgermeister Ole von Beust. Mittendrin Angela Merkel mit Blumenkranz im Haar, Perlenkette und entblößter Brust.

Klaus W. Paulsen hat in seinem Leben viel gemacht. Er war Schauermann im Hafen, Dachdecker auf Föhr, Tellerwäscher und Schweinefarmer in Australien. Zuvor hatte er mit 15 Jahren Zeichenkurse an der Kunstakademie belegt. Paulsen ist heute Maler, betreibt eine Galerie. Den Tordurchgang dorthin hat er als Pantheon mit sieben großformatigen Gemälden gestaltet. »Gott ist eine Frau – Götter und Unsterbliche« nennt er das Werk. Paulsen orientiert sich an opulenten Bildern von Michelangelo, Peter Paul Rubens und eben Jordaens. Marilyn Monroe, Kim Basinger, die Baywatch-Anderson oder Bond-Girl Monica Bellucci sieht man hier, wie Gott sie schuf. Die »kleinen Apfelbrüste« aus den Vorlagen der alten Meister hat Paulsen großzügiger interpretiert.

Eines der Bilder zeigt eine dralle Anita Ekberg. Sie himmelt Helmut Schmidt an, Hamburgs Übervater, Held der Flutkatastrophe von 1962, unerbittlicher Krisenkanzler im Deutschen Herbst. Er triumphiert über Franz Josef Strauß, der unter ihm im Staub liegt. SPD-Zuchtmeister Herbert Wehner doziert im Hintergrund. Schmidts Brust unter der Ritterrüstung scheint vor Stolz fast zu bersten. Veronica Ferres mit Ballonbusen und Engelsflügeln krönt ihren Helden.

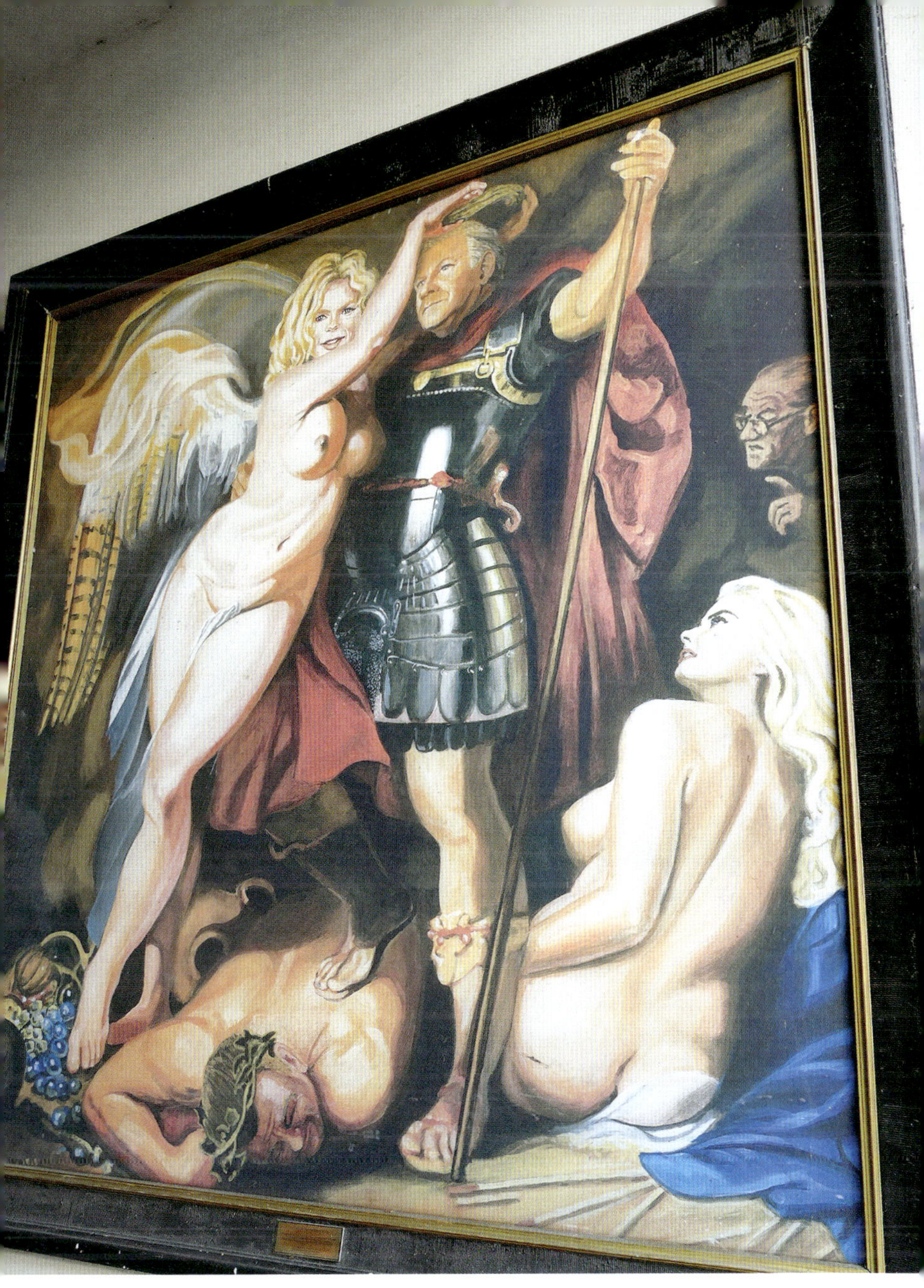

Adresse Poelchaukamp 7B, 22301 Hamburg | Hochbahn Bus 6, 17, 25, Haltestelle Gertigstraße | Öffnungszeiten unter www.galeriepaulsen.de | Tipp Im Amol-Hof hat man früher den gleichnamigen Kräutergeist gebraut und abgefüllt. Im Vorderhaus wohnten Angestellte und Pensionäre (Mühlenkamp 29, ums Eck). Vom Mühlenkampkanal aus ist der alte Amol-Schriftzug zu sehen.

111 Die Waschküche

Zu Hause in der Rotklinker-Burg

»Das ist ein Kronjuwel«, schwärmt ein Bewohner. »Hier zu wohnen, hat außergewöhnliche Lebensqualität.« Eine Mieterin, die wegzog, meint: »Dort herrscht immer eine Stimmung wie am Buß- und Bettag. Alles sieht so aus, als könnte nie eine andere Jahreszeit herrschen als Herbst.« Die Ansichten über die Großwohnsiedlung Jarrestadt können unterschiedlicher nicht sein.

Im Viertel zwischen Goldbek- und Osterbekkanal, Wiesendamm und Glindweg ziehen sich vier- bis sechsgeschossige Mietshäuser hunderte Meter die Straßen entlang. Trutzige Riegel aus dunklen, zweimal gebrannten Klinkern. Die Siedlung, gelobter Höhepunkt des Städtebaus der Weimarer Republik, entstand vor dem Hintergrund der Cholera-Epidemie von 1892 mit 8.500 Toten in Hamburg. Viele Arbeiterfamilien hausten in winzigen, feuchten und schlecht zu belüftenden Wohnungen ohne Klo. »Wer die Stadt als Lebewesen empfand, musste erkennen, dass dies Wesen im tiefsten Kern krank war«, schrieb Oberbaudirektor Fritz Schumacher. Er wollte gesundes Wohnen bei gleichzeitiger baulicher Dichte. Für 10.000 Menschen ließ er zweieinhalb Zimmer große Wohnungen bauen mit eigenem Bad, fließend warmem Wasser und Balkon. Für die Fassaden ordnete er Backstein als »norddeutschen Baustoff« an. Kritiker fanden das Rotklinker-Labyrinth schon damals zu düster. »Hier braucht man nur noch 'ne Zugbrücke hochziehen, dann ist die Burg geschlossen«, heißt es in einer Broschüre des Jarrestadt-Archivs.

Zwischen den Blöcken legte man grüne Innenhöfe an. In der Mitte eine Waschküche, Hausfrauen gaben ihre Wäsche beim »Wäschemeister« ab. Die Waschküche am Novalisweg ist heute noch in Betrieb. Nach dem Krieg bauten die Menschen drum herum Kartoffeln und Rüben an, auf dem Balkon hielten sie Hühner. Arbeiter, für die die Wohnungen anfangs gedacht waren, konnten die Mieten von bis zu 80 Mark nicht zahlen. Heute kommen die Bewohner aus allen Milieus.

Adresse Novalisweg 24, 22303 Hamburg | Hochbahn U 3, Haltestelle Borgweg; Bus 6, Haltestelle Semperstraße; Bus 17, Haltestelle Großheidestraße | Tipp Bei Kampnagel hat man Hafenkräne gebaut, heute sind die Werkshallen Kulturfabrik und Festival-Ort (Jarrestraße 20). Nicolaus Jarre (1603–1678) war 28 Jahre Hamburger Bürgermeister.

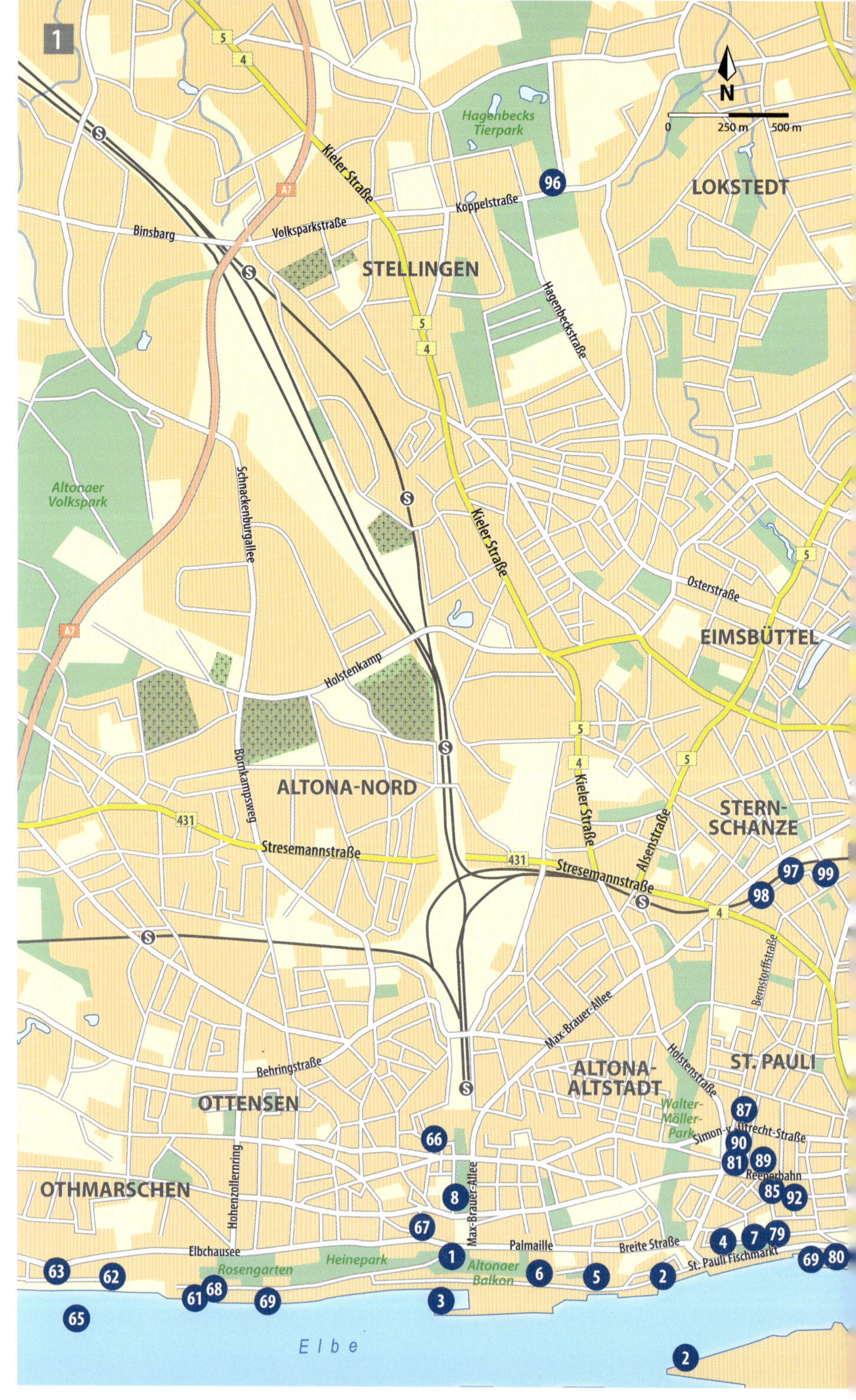

1
N
0
250 m
500 m
Hagenbecks Tierpark
LOKSTEDT
Kieler Straße
Koppelstraße
Binsbarg
Volksparkstraße
STELLINGEN
Hagenbeckstraße
Altonaer Volkspark
Schnackenburgallee
Osterstraße
EIMSBÜTTEL
Holstenkamp
Bornkampsweg
ALTONA-NORD
Alsenstraße
STERN-SCHANZE
Stresemannstraße
Bernstorffstraße
Max-Brauer-Allee
Holstenstraße
ST. PAULI
Behringstraße
ALTONA-ALTSTADT
OTTENSEN
Walter-Möller-Park
Simon-v.-Utrecht-Straße
Reeperbahn
OTHMARSCHEN
Hohenzollernring
Elbchaussee
Palmaille
Breite Straße
St. Pauli Fischmarkt
Rosengarten
Heinepark
Altonaer Balkon
Elbe

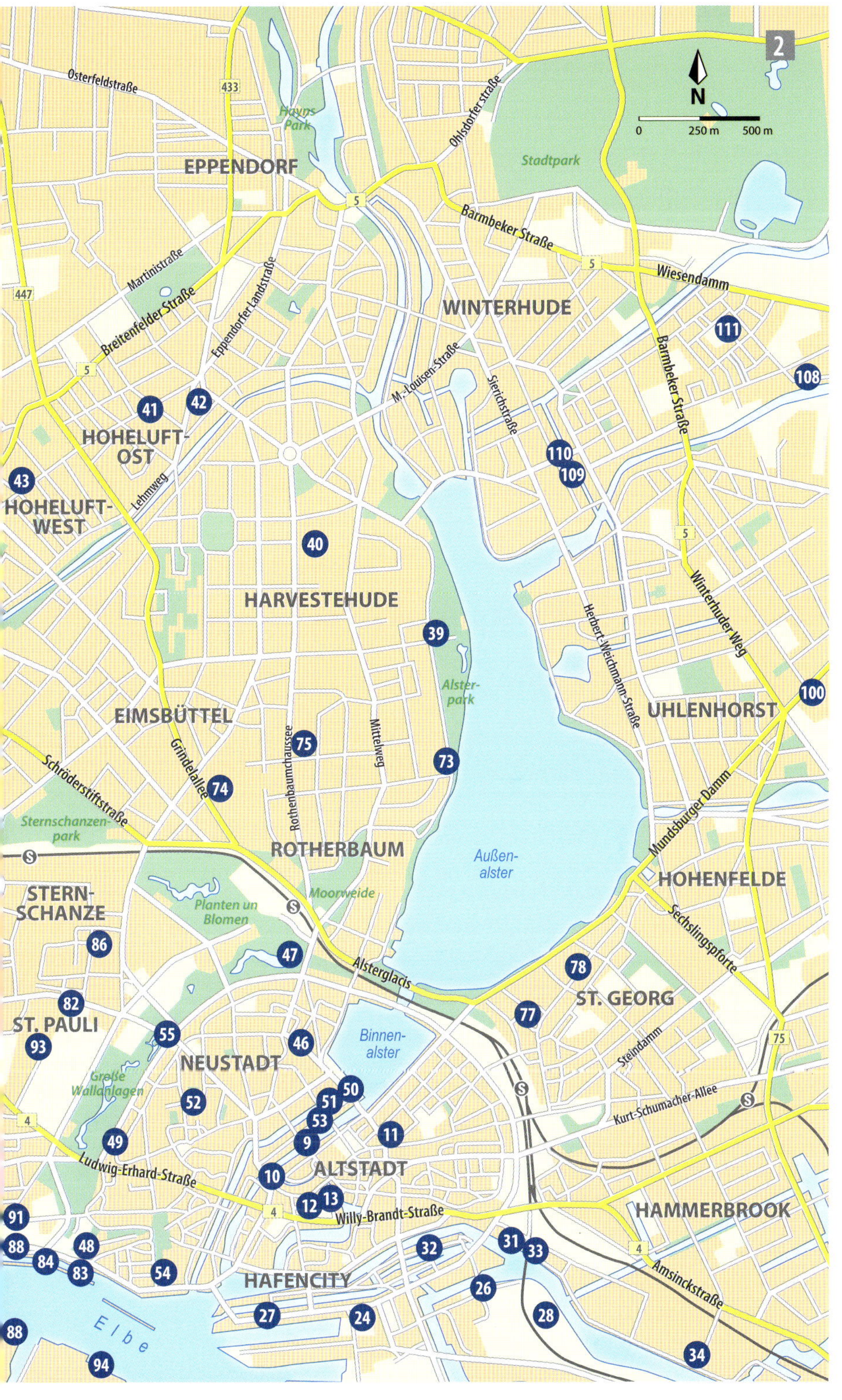

2
N
0
250 m
500 m
Osterfeldstraße
433
Hayns Park
Ohlsdorfer Straße
Stadtpark
EPPENDORF
5
Barmbeker Straße
Wiesendamm
Martinistraße
447
Breitenfelder Straße
Eppendorfer Landstraße
WINTERHUDE
111
108
M.-Louisen-Straße
Sierichstraße
Barmbeker Straße
41
42
HOHELUFT-OST
110
109
43
HOHELUFT-WEST
Lehmweg
40
HARVESTEHUDE
Winterhuder Weg
39
Herbert-Weichmann-Straße
Alsterpark
100
EIMSBÜTTEL
UHLENHORST
75
Mittelweg
73
Rothenbaumchaussee
Grindelallee
74
Schröderstiftstraße
Mundsburger Damm
Sternschanzenpark
ROTHERBAUM
Außenalster
STERNSCHANZE
Planten un Blomen
Moorweide
HOHENFELDE
Sechslingspforte
86
47
Alsterglacis
78
82
ST. GEORG
77
ST. PAULI
55
46
Binnenalster
93
NEUSTADT
Steindamm
75
Große Wallanlagen
50
52
51
53
Kurt-Schumacher-Allee
49
11
9
Ludwig-Erhard-Straße
ALTSTADT
10
12
13
91
Willy-Brandt-Straße
HAMMERBROOK
48
32
31
33
88
84
83
54
HAFENCITY
26
Amsinckstraße
27
24
28
Elbe
88
94
34

3
N
0
2,5 km
5 km
Henstedt-Ulzburg
Alveslohe
Bilsen
Hemdingen
Ellerau
Rhen
Kayhude
Bevern
SCHLESWIG-HOLSTEIN
Wilstedt
Jersbek
Alster
433
Ellerhoop
Quickborn
Pinnau
Bilsbek
Hasloh
Norderstedt
432
Duvenstedt
434
Kummerfeld
Borstel-Hohenraden
4
A7
Bergstedt
Lottbek
A23
Tangstedt
Appen
Rellingen
Bönningstedt
Langenhorn
Ahrensburg
Pinneberg
Ellerbek
76
Hummelsbüttel
R3
R3
Sasel
Volksdorf
Halstenbek
Schnelsen
21
58
59
434
Waldenau-Datum
447
Fuhlsbüttel
Ohlsdorf
75
Schenefeld
Eidelstedt
22
Bramfeld
435
1
2
Farmsen-Berne
Stapelfeld
Rissen
14
Eimsbüttel
Rahlstedt
Stellau
Osdorf
R2
Blankenese
HAMBURG
A1
431
A7
Marienthal
19
17
Uhlenhorst
16
60
23
St.Pauli
Rotherbaum
A24
A24
56
18
64
Altona
Altstadt
Billstedt
Glinde
57
Hamm
20
101
70
ELBE
30
29
25
R2
71
Oststeinbek
44
72
103
104
Billbrook
Neuenfelde
95
Finkenwerder
102
HAMBURG
5
Reinbek
106
107
A1
15
Süderelbe
Lohbrügge
A7
Wilhelmsburg
Norderelbe
Neugraben-Fischbek
A25
Bergedorf
A1
Hausbruch
73
35
37
Harburg
Neu Wulmstorf
36
38
A253
105
Marschlande
Eißendorf
Curslack
Wilstorf
Marmstorf
4
Warwisch
Elstorf
Schwiederstorf
45
A7
Meckelfeld
Vierlande
Harburger Berge
3
Glüsingen
A1
Hittfeld
A261
Appel
Stelle
ELBE
Nenndorf
Iddensen
4
Maschen
A1
A1
A39
Tönnhausen
NIEDERSACHSEN
Wenzendorf
Harmstorf
A7
Winsen
Ramelsloh
Ohlendorf

Jochen Reiss
111 Orte in Kiel, die man gesehen haben muss
ISBN 978-3-95451-705-3

Jochen Reiss
111 Orte im Fünfseenland, die man gesehen haben muss
ISBN 978-3-7408-2247-7

Jochen Reiss
111 Orte in Nordfriesland, die man gesehen haben muss
ISBN 978-3-7408-2259-0

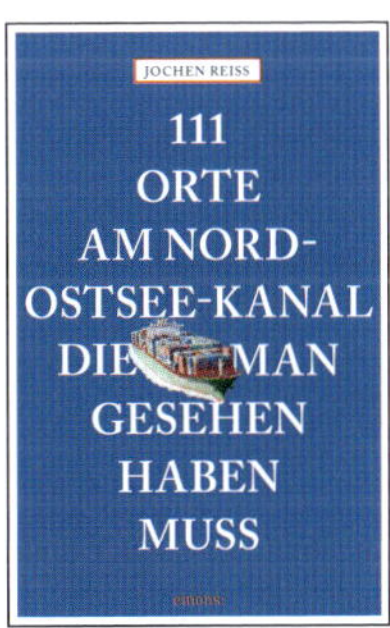

Jochen Reiss
111 Orte am Nord-Ostsee-Kanal, die man gesehen haben muss
ISBN 978-3-7408-0133-5

Jochen Reiss
111 Dinge über den Hamburger Hafen, die man wissen muss
ISBN 978-3-7408-1626-1

Jochen Reiss
111 Orte im Alten Land, die man gesehen haben muss
ISBN 978-3-7408-2086-2

Jochen Reiss
111 Orte rund um Hamburg, die man gesehen haben muss
ISBN 978-3-7408-1550-9

Stefanie Sohr, Volko Lienhardt
111 Orte auf St. Pauli, die man gesehen haben muss
ISBN 978-3-7408-0685-9

Annett Rensing
111 Hamburger Meisterwerke, die man gesehen haben muss
ISBN 978-3-7408-0987-4

Alexandra Schlennstedt,
Jobst Schlennstedt
111 Orte an der Ostseeküste Schleswig-Holsteins, die man gesehen haben muss
ISBN 978-3-7408-1295-9

Petra Wochnik, Andreas Klesse
111 Dinge über das Wattenmeer, die man wissen muss
ISBN 978-3-7408-1081-8

Sina Beerwald
111 Orte auf Föhr, die man gesehen haben muss
ISBN 978-3-7408-2537-9

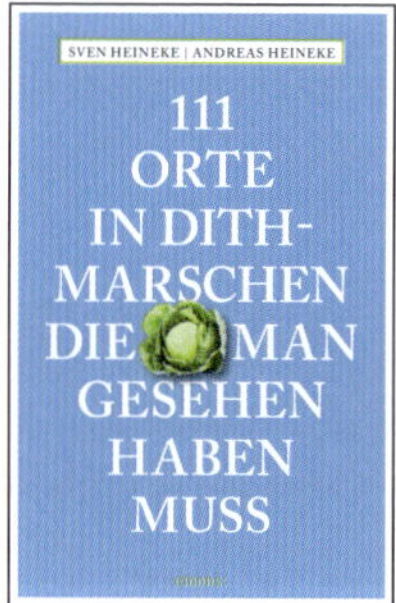

Sven Heineke, Andreas Heineke
111 Orte in Dithmarschen, die man gesehen haben muss
ISBN 978-3-7408-2040-4

Sina Beerwald
22 Touren auf Sylt, die man gemacht haben muss
ISBN 978-3-7408-1647-6

Jela Henning, Jens Hinrichsen
111 Orte in und um Flensburg, die man gesehen haben muss
ISBN 978-3-7408-1606-3

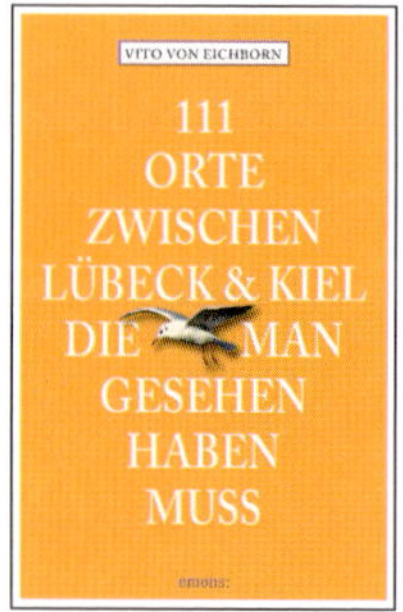

Vito von Eichborn
111 Orte zwischen Lübeck und Kiel, die man gesehen haben muss
ISBN 978-3-95451-339-0

Jana Jürß
111 Orte an der Mecklenburgischen Seenplatte, die man gesehen haben muss
ISBN 978-3-7408-2031-2

Sina Beerwald
111 Orte auf Sylt, die man gesehen haben muss
ISBN 978-3-7408-1664-3

Ingo Stock
111 Orte auf Spiekeroog, die man gesehen haben muss
ISBN 978-3-7408-2539-3

Bernd Flessner
111 Orte auf Juist, die man gesehen haben muss
ISBN 978-3-7408-1674-2

Manfred Reuter, Lena Reuter
111 Orte in Ostfriesland, die man gesehen haben muss
ISBN 978-3-7408-1455-7

Petra Wochnik, Andreas Klesse
111 Orte auf Langeoog, die man gesehen haben muss
ISBN 978-3-7408-2156-2

Manfred Reuter, Lena Reuter
111 Orte auf Norderney, die man gesehen haben muss
ISBN 978-3-7408-1649-0

Jacek Auerbach
111 Orte in Oldenburg, die man gesehen haben muss
ISBN 978-3-7408-0249-3

Alexandra Schlennstedt, Jobst Schlennstedt
111 Orte an der Ostseeküste Mecklenburg-Vorpommerns, die man gesehen haben muss
ISBN 978-3-7408-0742-9

Dorothee Fleischmann, Carolina Kalvelage
111 Orte in Rostock, die man gesehen haben muss
ISBN 978-3-7408-1076-4

Maren Kaschner, Anselm Neft
111 Orte auf Rügen, die man gesehen haben muss
ISBN 978-3-7408-2131-9

Jela Henning, Jens Hinrichsen
111 Orte in und um Schwerin, die man gesehen haben muss
ISBN 978-3-7408-0635-4

Christine Izeki, Gerald Roemer
111 Orte im Wendland, die man gesehen haben muss
ISBN 978-3-7408-1520-2

Alexandra Schlennstedt, Jobst Schlennstedt
111 Orte in der Lüneburger Heide, die man gesehen haben muss
ISBN 978-3-7408-2460-0

Dorothee Fleischmann, Carolina Kalvelage
111 Orte im Weserbergland, die man gesehen haben muss
ISBN 978-3-7408-1511-0

Uwe Grießmann, Sonja Klima
111 Orte in und um Hildesheim, die man gesehen haben muss
ISBN 978-3-7408-2130-2

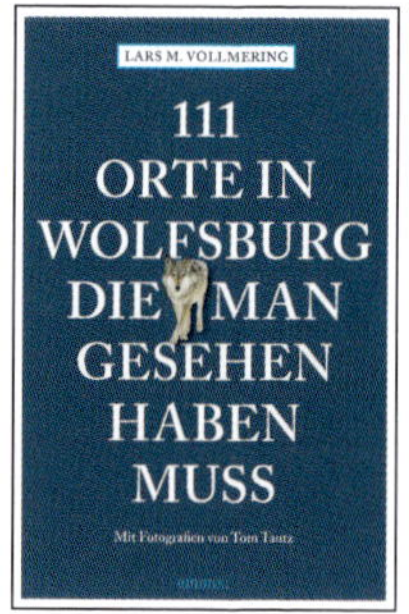

Lars M. Vollmering, Tom Tautz
111 Orte in Wolfsburg, die man gesehen haben muss
ISBN 978-3-7408-1094-8

Axel Klingenberg, Thomas Hackenberg
111 Orte im Braunschweiger Land, die man gesehen haben muss
ISBN 978-3-95451-671-1

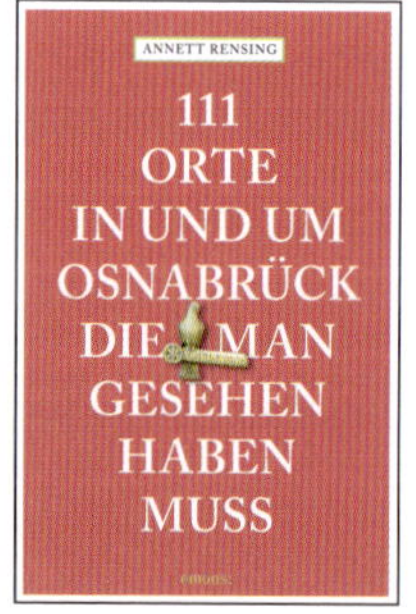

Annett Rensing
111 Orte in Osnabrück, die man gesehen haben muss
ISBN 978-3-7408-2129-6

Cornelia Kuhnert, Günter Krüger
111 Orte in Hannover, die man gesehen haben muss
ISBN 978-3-7408-2649-9

Kirsten Elsner-Schichor
111 Orte im Harz, die man gesehen haben muss
ISBN 978-3-7408-2018-3

Ingo Stock
111 Orte im Werra-Meißner-Kreis, die man gesehen haben muss
ISBN 978-3-7408-0855-6

Dietmar Hoos, Susanne Hoos
111 Orte in Kassel, die man gesehen haben muss
ISBN 978-3-7408-1879-1

Paul Stänner
111 Orte in Brandenburg, die man gesehen haben muss
ISBN 978-3-7408-1714-5

Paul Stänner
111 Orte in Brandenburg, die uns Geschichte erzählen
ISBN 978-3-7408-2178-4

Lucia Jay von Seldeneck, Verena Eidel, Carolin Huder
111 Orte in Berlin, die man gesehen haben muss
ISBN 978-3-7408-2367-2

Lucia Jay von Seldeneck, Verena Eidel, Carolin Huder
111 Orte in Berlin, die man gesehen haben muss, Band 2
ISBN 978-3-95451-207-2

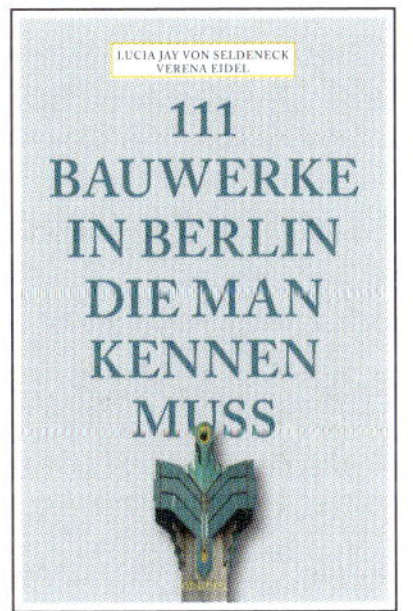

Lucia Jay von Seldeneck, Verena Eidel
111 Bauwerke in Berlin, die man gesehen haben muss
ISBN 978-3-7408-0995-9

Steven Meyer, Christopher Ferner, Charlie Spiegelfeld
111 queere Orte in Berlin, die man gesehen haben muss
ISBN 978-3-7408-1980-4

Jochen Reiss trainiert Medienprofis in Redaktionen in allen Stilformen und Spielarten des Journalismus. An Fachschulen und Akademien für journalistische Aus- und Weiterbildung, an Universitäten und in Unternehmen arbeitet er als Dozent. Er war Chefreporter und Stellvertreter des Chefredakteurs der Abendzeitung München. Seine weiteren Buchveröffentlichungen für Emons: »111 Dinge über den Hamburger Hafen, die man wissen muss«, »111 Orte im Alten Land, die man gesehen haben muss«, sowie »111 Orte« rund um Hamburg, im Blauen Land, Ludwigs II., am Nord-Ostsee-Kanal, im Fünfseenland, in Kiel, in Nordfriesland.
jochenreiss@jochenreiss.com